「偉大なる後進国」アメリカ

菅谷洋司

現代書館

まえがき

アメリカの歴史は浅い。ペリー提督を乗せた黒船が日本にやってきたころ、アメリカはまだ建国百年も経っていない。日本が鎖国体制に入ったころに、アメリカ大陸はあっても、アメリカ合衆国という国家はまだ存在していない。アメリカという名前が正式に日本人突きつけられたのは、黒船がやってきたときだ。

アメリカを「米国」と呼ぶのは、アメリカ人をメリケン人（米利堅人）と呼んだことからきている。中国語では美国（メイクオ）だ。アメリカンのアクセントが「メ」にあるので、「ア」が抜け落ちて、耳で聞き取れた発音に当てはまる漢字を当てたのだ。

黒船来航から百年以上経った一九六四年の日本。東京オリンピックで沸き立つ中で登場した東京・代々木のNHK放送センターや国立競技場などが、ワシントンハイツ（米空軍兵舎・家族用宿舎）という米軍基地が返還された跡地にできたことはあまり知られていない。

時は流れてふたたび日本がオリンピックの喧噪に包まれるはずだった二〇二〇年、太平洋をまたいだアメリカは四年に一度の大統領選挙に向けて、混迷を深めている。

ではその大統領という漢字表記はいつ生まれたのか？　その英語和訳も日本人がアメリカ人に出会った江戸時代の末期。日米で取り交わされた条約の中に、プレジデントという英語があった。英語の文章を日本語に訳すときに困ったのは、実はこのプレジデント。皇帝ではない。王（キング）でもない。内容から判断すると国の事業をまとめる大工の棟梁のようなものだということで、大をつけて大棟梁。これではあまりにもというので大統領と訳したというのが定説だ。

このように、日常生活に染み込んだ「米国」という言葉でも、その由来をほとんどの日本人が曖昧にしか知らない。だから、日本の鎖国をこじ開け、近代化への道を歩ませた当時の新興国アメリカが、現代日本人の生活に深く染み付いていることを日本人はよく理解できていない。

一方で、和製アメリカンポップスが日本の若者の心をとらえて、沖縄生まれで八分の一アメリカンの青年ＩＳＳＡの歌が日本を席巻した。幼い子どもたちも意味を知ってか知らずしてか、「カーモンベイビーアメリカ」と幼稚園や小学校の運動会などで口ずさんでいる姿を目にする。

ＩＳＳＡの生まれ故郷の沖縄と、彼が国籍を持つ日本では日米両軍による基地の近代化と再編計画が着々と進行している。奇しくも、沖縄県の玉城デニー知事は半分アメリカンの血を引いている。アメリカの影が漂っているのは沖縄ばかりではない。

第二次世界大戦後、日本と世界を支配した唯一の超大国アメリカの姿は失われつつある。わずか二百四十数年の歴史しかないアメリカという国は日本人にとってなんなのだろう。日本人に染み付いたアメリカ文化はなんなのだろう。

アメリカは軍事、経済の分野で今なお世界の超大国。だが、社会的、政治的には未成熟な国だ。建国して二百数十年以上経つのに、様々な夢と絶望が錯綜する混乱がアメリカには見え隠れする。大西洋に面する東海岸に点在する一三の植民地からあっという間に、太平洋岸の西海岸まで達する大国として勢力範囲を拡大したことで、国としての法体系と制度が追いつかなかったのだろう。人口は二百数十万から三億数千万に膨張した。

だが、なによりもアメリカ合衆国（合州国）という名前でわかるように、「統一国家」ではなく連邦制国家、あるいは州（State）のゆるやかな集合体をアメリカの創設者たちが目指したことが大きい。

南北戦争という内戦で国家分裂寸前の危機もあった。現在でさえ、一般庶民の「アメリカンドリーム」をつぶしていく経済格差の中で、アメリカが分裂するのではないかという話が現実的に語られている。第二次内戦への予兆さえ起こり始めている。

日米両国は太平洋を挟んだ、大きさは違うが閉鎖的な島国的同質性と後進性を持っている。しかし、なにかが違う。かなり倫理観や考え方に違いがある。アメリカ人が当たり前と思っていることが、日本人には「あれ？」と思える。実は、アメリカは日本とは異質の「偉大なる後進国」なのではないのか？

本書ではアメリカの現在の報道を普通の日本人の目で読んでいく中で、アメリカ人が描いている「自画像」とはなにかを探る。書かれている情報は読者のみなさんがインターネットで直接ふれることができる。本書が、読者のみなさんが納得できるアメリカ人観を作り上げる一助になればと思っている。

「偉大なる後進国」アメリカ

目次

●本文下脚注は写真検索用です。これで（注）の写真を見ることができます。

第一章

びっくりメリケンのなぞなぞ

トリスを飲んでハワイへ行こう！

「トリスを飲んでハワイへ行こう！」というテレビコマーシャルを知っているだろうか。日本のウイスキーメーカーが、高度経済成長の兆しの見え始めた一九六一（昭和三十六）年に日本のテレビで放送を始めたものだ。

公定レートで一ドル三六〇円の時代。実際に個人が旅行用に購入できる制限額は五〇〇ドルで、それを超えてドルがほしければ、ヤミドルを一ドル五〇〇円ぐらいで買って海外旅行に行った時代だ。クレジットカードなどはもちろんない。海外渡航は制限され、パスポートをもらうのも大変な時代だった。

「トリスを飲んで」で検索（注）して出てきたウイキペディアの一部を修正なしで引用しよう。大筋で間違っていないはずだ。

「1等賞品はハワイ旅行積立預金証書（100名）。このほかに残念賞現金15、000円（400名）、2等トリスウイスタン（缶入りのハイボール）（1、500、000名）があった。当時、海外旅行は自由化されていなかったため、1等賞品はハワイ旅行ではなく積立預金証書となっている。そのため、当選者は当選後に毎月一定金額が旅行資金として積み立てられ、海外旅行自由化実施後にハワイへ行くという手続きが取られた。（中略）……1964年4

（注）トリスを飲んでハワイへ行こう

月に海外旅行が自由化され、1等当選者は4月18日夜にハワイへと旅立った。しかし、1等当選者の大半は商品を現金（約40万円）と引き換えることを選択したため、実際にハワイへ行ったのはわずか4人であった……」

スコッチのジョニ黒は飲めなくとも、せめて「トリス」より高い「角」が飲みたいなどと言っていた時代がしばらくあった。ハワイ行きの懸賞の付いたコマーシャルを始めたメーカーの名前は「洋酒の寿屋」。現在は「サントリー・ホールディングス」という世界的なブランドになっている。

「角」や「トリス」の安いハイボールが若い人の間で当たり前になった今でも、ハワイは日本人が行きたいアメリカの筆頭格。年間、一六〇万人近くの日本人観光客が訪れている。

明治の初年代から豊かなアメリカ生活の夢を持って、多くの日本人がハワイに渡った。海外旅行などという言葉がまったく日本に存在しないころだった。仕事のない日本を捨て、サトウキビ農民になって食うためだ。農民といえば聞こえがいいが、奴隷に近い極貧生活を送った。

現在、ハワイ諸島の人口約一四〇万人のうち、約二〇万人を日系移民が占める。現在のハワイ州知事はイゲ氏。漢字で書けば伊芸。沖縄ではすぐにわかる名字だ。

ハワイが州になってからは、日系の上院議員、下院議員を何人も選出している。ハワイ観光の拠点、ホノルル空港の正式名称はダニエル・K・イノウエ国際空港。五十年の議員生活を送った日系上院議員の重鎮の名前だ。現在の上院議員は、トランプ大統領の側近のバー司法長官に鋭く迫った姿が米のテレビで報じられたメイジー・ケイコ・ヒロノ（広野慶子）上院議員。一九四七年福島県生まれのハワイ育ちで、ハワイ州初の女性上院議員でもある。八歳のときに、アメリカ国籍を持つ母とふたりで、母方の祖父母を頼って、ハワイに渡った。靴が買えずに、裸足で小学校に通った思い出を持つ。

そのハワイと「日本人」という言葉で、多数のアメリカ人がまず思うのは「パールハーバーを忘れるな！」という言葉だ。ハワイ時間、一九四一年十二月七日、日曜日朝。山本五十六連合艦隊司令官に率いられた日本帝国海軍の空母から発進した攻撃機、戦闘機が真珠湾を襲った。その時撃沈された戦艦アリゾナは一一七七人の遺骨をそのままに真珠湾に眠る博物館として姿をとどめている。

南国の楽園というイメージの強いハワイだが、戦争が身近に感じられるのは、同じ青い海で観光客を魅了する沖縄と同じだ。車で観光をしていて、文字通り白砂とエメラルドブルーの浜に出会い、沖縄のブルービーチとそっくりなのにびっくりしたことがある。似ているのは当たり前で、そのビーチも海兵隊の上陸演習地。週末以外は一般人は立ち入り禁止だと、警備兵がやってきて教えてくれた。オアフ島にはアメリカ空軍、海軍、海兵隊の主要基地がある。島の総面積の約二〇パーセントを占め、家族を含め約一〇万人の軍関係者が住んでいる。

だが、この地はかつてハワイ王国という南国の楽園だった。カメハメハ大王といえば、耳にしたことがあるだろう。太平洋のど真ん中にあるハワイ王国をアジア進出への拠点とするために、アメリカが併合したのだった。今はアメリカ合衆国五〇番目のハワイ州となっている。

「あこがれのハワイ航路」という歌が一九四八（昭和二十三）年にレコードで販売された。この歌が生まれる八年前、「誰《たれ》か故郷を想わざる」という戦地にいる兵士の気持ちを歌った歌謡曲が日本のラジオでは流れていた。「鬼畜米英」を唱えていた大日本帝国民の心の中で、ハワイがあこがれの島になるのに時間はかからなかった。

連合国軍として、日本を占領したアメリカと日本を結ぶ航路は、横浜を出てハワイのホノルル経由でサンフランシスコに向かった。

民間の飛行機はまだ飛んでいない。半官半民の日本航空が、ホノルル経由でサンフランシスコまでの空路運航を始めたのは一九五四年。サンフランシスコまでの直行便が飛んだのは、一九六〇年。個人の海外渡航が解禁になったのは、一九六四年、東京オリンピックが開催された年だった。つまりビジネス目的以外でも、誰でもパスポートを発行してもらうことができるようになったのだ。

ハワイは日本とアメリカの接点であるとともに、小さな島にアメリカのすべての縮図がある。アメリカの領土拡張という名の侵略、戦争と軍事、貧困と犯罪、国籍の問題、アジアとアメリカの関係、宗教の支配力、連邦政府と州そして地方政府のあり方などなど……。

でも、アメリカの問題や、日米関係などと面倒なことを考えずに、アメリカと日本の悲しい接点になっているハワイに行ったら、申し訳ないけど、冷たいビールをグビリとやりたい人は多いはず。スーパーにならぶ商品のほとんどが、アメリカ本土や国外から運ばれてくるハワイにも、ローカルのクラフトビールがある。だが、そこで突然、ドキッとするアメリカの現実に向き合わされる。

日本人観光客であふれるオアフ島は、同じく観光客の姿が目立つ縦長い沖縄本島を丸くした感じで、少し面積が広いだけの小さな島。だが、この小さな島にドライタウンがあるのだ。ドライといっても、ビールの銘柄ではない。ドライとはアルコールフリー、つまり禁酒法のある町なのだ。

ホノルルから、高速道路を降りて、時計回りに車を走らせる。サトウキビ畑に囲まれたアップダウンのある道を行くと、左側に静かな浜辺、右側にオアフ島の切り立った山並みを眺める平坦な土地になる。ライエという小さな町だ。そこではすべてのアルコール飲料が販売禁止。ハンバーガーを売る店はあっても、レストランは一軒もない。あったとしても、「ビールを飲むなら隣の町へ行ってください」といわれるのが落ち。立ち寄る観光客はあまりいない。

人口六千人の大半はアメリカ本土から移住して来たモルモン教徒（末日聖徒イエス・キリス

ト教会)。ここにはモルモン教の壮大な寺院があるのだ。ユタ州ソルトレークに本山を置くモルモン教徒はお酒を一切飲まない。それどころかコーヒー、お茶を飲むことも戒律で禁じている。

コンビニに行けば、ビールからウイスキーまでいつでも買える日本に住む日本人には理解できないだろうが、アメリカではアルコールの販売が禁止される地域が多数存在している。「ビールを飲みたければ，隣町へ行け」と言われるところはかなりある。

実は、なんでもできるようで、なんでもできない。できないだろうと思うことが、実はできてしまう。日本人の常識では当たり前のことが当たり前でない。そんな不思議の国アメリカの実像をアリスになった気分で紹介していく。

まずは「あこがれのハワイ航路」の終点、サンフランシスコから……。

「マリファナぷかぷかで国境を越えるな」

サンフランシスコは、日本人なら一度は行ってみたいところだ。アメリカ人にとってもそれは同じこと。東海岸に定着したアメリカ人は西へ、西へと新天地を目指した。ネブラスカ州オマハと、カリフォルニア州サクラメントの東西から建設し始めた全米初の大陸横断鉄道が開通したのは一八六九年。これでアメリカ東部と西部が結ばれ、西部の開拓に大きく寄与した。今はサンフランシスコからシカゴを結ぶ大陸横断列車が観光客に人気となっている。同時にアジアから輸入される物資を東に運ぶ重要なルートともなっている、現在は五、六時間あれば東海岸の主要都市から飛行機で到着できる。開拓時代には、駅馬車や馬を乗り継いで三カ月かかったが、汽車を利用すれば何日かでたどり着けるようになった。大陸横断鉄道が完成したときに、アメリカのフロンティアは消滅した。サンフランシスコの前には広大な太平洋の海が広がり、そのはるか向こうに日本がある。

日本からも直行便で約九時間。あこがれの地は目と鼻のさきにあるが、勘違いしてはいけない。そこには日本では考えられない異次元の世界が広がっている。

サンフランシスコのあるカリフォルニア州ではマリファナが完全解禁されている。完全解禁とは、鎮痛剤や精神安定剤などの医療用目的だけではなく、レクレーショナル（嗜好目的）でマリファナをぷかぷかすることができるのだ。大麻所持で逮捕され、報道陣の前で手をついて謝る有名人の姿はカリフォルニア州ではあり得ない。

マリファナをやってみたい日本の若者や中年のおじさん、おばさんたちに警告をひとつ。

「マリファナぷかぷかで国境を越えるな！」

国境を越えて、日本に帰国したときにマリファナを持ち込むなというのは、当たり前だが、

「州境」という名の国境がアメリカという連邦国家にはあることを頭に入れておかなければならない。コロラド州、ワシントン州でマリファナが合法化されてから、首都ワシントンを含めて、すでに三〇以上の州で医療用などのマリファナが合法化されている。だが、カリフォルニア州では当たり前に吸っていたマリファナをうっかりポケットに入れて、禁止されている州に旅行。発見されればすぐに逮捕だ。

問題を複雑にしている事実がある。カリフォルニア州はステート（国）であると同時に、USA（アメリカ合衆国＝合州国）という連邦政府の行政権、司法権が生きている「国」の中の「国」なのだ。

連邦法では「マリファナ」を含む大麻は、ヘロインやLSDなどと同じく、法律で危険な薬物にリストアップされた違法麻薬だ。カリフォルニア州政府が、マリファナの完全解禁に踏み切ったときに、インターステート・ハイウェイ（州間高速道路）を警備する連邦政府のハイウェイパトロールは、ハイウェイ上の車の中でマリファナや大麻製品（カナビス）を発見した場合は、逮捕すると明言した。この意味がわかるだろうか？

カリフォルニア州では、至るところにカナビスを販売する薬局のような専門店がある。年齢制限はあるが、大人であれば自由に買える。全米一の人口を持つカリフォルニア州では、すでに一大産業となっている。

州法に従う州、郡、市などの警察官は、強盗や窃盗などの犯罪がない限り、マリファナショップに立ち入ることなどない。だが、連邦法で犯罪を捜査するＦＢＩ（連邦捜査局）などは法的には、マリファナを販売するもの、購買するものを逮捕することができる。やらないだけのことなのだ。このように、州法では合法だが、連邦法では違法というややこしいことにアメリカ社会は縛られている。

大統領予備選の民主党候補によるディベートがアメリカ市民を引き付けているころ（二〇一九年）、権威ある政治専門サイト、「ポリティコ」が「カナビスというアメリカの偉大な実験」と題して、おもしろい記事を特集した。一八六一年の内戦（南北戦争）以来の連邦政府と州政府の対立が深まっているという内容だった。

記事で取り上げたのは、東海岸北部にあるマサチューセッツ州の小さな島ナンタケットの話だ。マリファナが合法化されているマサチューセッツ州のケープコッドから南に約五〇キロ離れたところにある。定住人口は約一万人だが、有数の高級観光地で夏の間の人口は五万人に膨れ上がるという。当然ながら、マリファナへの需要はある。

この島でひとりの女性がカナビスを自家栽培して、マリファナ、カナビス入りのキャンディーなどの嗜好食品を製造、販売している。すべて、室内で行われているために安全で品質がとてもよいと評判。その店の名前は、グリーン・レディー薬局。経営者のニコール・キャンベルさんが語るところによると、島外の他社から材料などを卸しで仕入れることができれば利用するだろうが、ここではできないからマリファナの自家栽培から製品化までを自分で行っているのだという。また、島から販売のためにサンプルを発送することもできない。なぜか？

ナンタケット島は周囲を海で囲まれている。その海域は連邦政府の管轄で、連邦法が適用される。マリファナを含むカナビス製品は持ち込むことは違法で、逮捕される危険もある。それでは空輸すればいいはずだが、空域も連邦政府の管轄なので、飛行機で持ち込むことも違法なのだ。このため、島には大型フェリーが着岸できる立派な港や空港が三カ所もあるのに、この島で販売するマリファナやカナビス食品はすべて、自家製造しなければならないのだった。

すでに三三の州で医療用マリファナが合法化され、一一の州と首都ワシントンではレクレーショナル（嗜好）目的の購入が大人には認められているというのに、マリファナを麻薬として非合法化している連邦法の改正は遅々として進まない。

全米第三の都市シカゴを抱えるイリノイ州ではすでに、州議会で嗜好用マリファナの合法化法案が通過して、二〇二〇年一月に合法化された。売り出し解禁の初日には売上額が日本円で三億円を軽く超えたという。多数の人口を抱えるフロリダ州をはじめとした三州でも、合法化の検討が始まっている。

世論調査では、高齢者はマリファナの合法化への反対者が多数だが、ベビーブーマー（一九四六年〜一九六四年生まれ）でさえ、賛成が五〇パーセントを超え、ミレニアル世代という一九八一年から一九九六年生まれの若い人たちでは、実に七四パーセントが賛成だという。

全米ではすでに一〇〇億ドル（約一兆一〇〇〇万円）の産業となり、二〇万人以上が雇用されているにもかかわらず、全米でマリファナの所持などの「違法行為」で、年間六五万人以上が逮捕されている。大麻産業には銀行口座の開設がなかなかできずに、取引の多くを現金で決済している。

二〇二五年にはマリファナと大麻製品の売り上げは各種経済データによれば、三〇〇億ドルを超えるとの予想もある。中央集権的な連邦主義で、経済が発展してきたアメリカだが、各州独自の産業が、連邦政府の枠外でうごめき始めている。

一九二〇年に憲法で定めた禁酒法（一九三三年、憲法修正二十一条で廃止）は実行方法を各州の自由裁量にまかせて、事実上のザル法になった。リンカーンの奴隷解放宣言で、黒人は白人と平等になるはずだったが、人種差別法案が二十世紀後半まで、南部のいくつかの州では生き続けた。否定的な意味で、連邦政府、州政府の権限の矛盾が噴出した。

こんなことも起きている。厳しい車の排ガス規制を打ち出したカルフォルニア州政府に対して、トランプ政権は文句をつけてやめさせようとしている。

建国から二百四十年以上経っても、「連邦政府」と「州政府」の矛盾は一向に解決されずに、ある意味で自由だが野放図な現実だけがアメリカでは動いていく。マリファナをめぐる連邦政府、州政府の対立が沸騰点に近づく中で、アメリカという「国」の形が具体的に問われている。

カジノで稼ぐ先住民国家群

日本ではできないことで、アメリカに行ったらできることの数少ないひとつにカジノでのギャンブルがある。「賭博＝ギャンブル」が禁じられている日本だが、競輪、競馬、ボートレースは、明らかに公営のギャンブル。日本国中に広がるパチンコ店がもしアメリカに存在すれば、アメリカではスロットマシーンと同じくギャンブルマシーンとして認定される。カジノとして申請しない限り、パチンコ屋に営業許可は出ない。

今でこそ、数百億円単位の当選がしばしばメディアをにぎわすロッテリーやパワーボールがアメリカを席巻している。しかし、アメリカでは宝くじが賭け事として法的に規制されていたのは、ちょっと前までのことだった。現在、四五の州で解禁されているが、おもしろいことにギャンブル産業のメッカ、ネバダ州では買えない。お隣のユタ州も、厳しい戒律のモルモン教の聖地だからかダメ。アラバマ州、アラスカ州そして憧れのハワイ州でもダメ。ハワイ土産に宝くじでもと思った人たちはあきらめるしかない。

カジノといったら日本人の誰もが思い浮かべるのはラスベガスに違いない。カジノという言葉は、実はイタリア語。家を表すイタリア語カーサ（ＣＡＳＡ）から派生しているようで、田舎の小さなヴィラ、サマーハウスや社交場を意味していた。ホテルが乱立して、ネオンが輝く現在のラスベガスからは想像もつかない言葉だ。

ラスベガスに全米初のカジノが建設されたのは一九三一年。大恐慌の中で産業がないネバダ州が苦肉の策で、仕事と税金を生み出すためにギャンブルを解禁したのが始まりだった。カジノは二十四時間営業が当たり前。一日八時間労働として三倍の労働人口を必要とする。だから、砂漠の町は眠らない。

しかし、ラスベガスが現在のような大都市になっていくのは、一九六〇年代。大手レジャー産業がラスベガスに進出し始めてからだ。東海岸のニュージャージー州が二匹目のドジョウをねらってアトランティック・シティーにカジノを作ることを許可したのは一九七六年。時間はかかったが、アメリカ全土にカジノが広がり、ギャンブル産業が吸い上げた金が、行政府に税金として入っていくシステムができ上がっていった。

様々なデータでは、全米には一〇〇〇以上のカジノがあり、二〇一四年に設立されたアメリカギャンブル協会によれば、約一八〇万人の雇用効果があるという。世界一のギャンブル大国アメリカはすでに誕生していると言っていい。

二〇一九年十月に、アメリカ唯一の日刊全国紙、「ＵＳＡトゥデイ」がカジノに関するおもしろい記事をエンターテイメント欄に掲載した。全米にあるカジノの人気投票というとわかりやすい。「読者が選んだラスベガス以外のカジノベスト10」が見出しだ。専門家の評価を踏まえて選んだカジノをリストアップして、読者の投票で順位を決めた結果を記事にした。

この記事を引用したカジノ・ドット・オーグというカジノ専門サイトの見出しには一瞬ドキッとする。

「ラスベガス以外のベストカジノをアメリカ先住民のリゾートが支配」

そのリゾートとはなにか。「アメリカ先住民」が、国立スミソニアン・アメリカンインディアン博物館の名前になっている人たちであることはわかる。荒野が好きな人たちが焚き火でも囲んで、賭け事でもやるのかと思ったが、インターネットで選ばれたトップの名前を検索してみる。

バローナ・リゾート&カジノとある。ウェブサイトや「USAトゥデイ」の記事を見てみる。低層階のホテルの写真がある。部屋数は四〇〇室。二五〇〇のスロットマシンと、一二〇のテーブルでギャンブルができる。ディズニーランドとカジノと国際会議場がミックスしたラスベガスでは味わえない、大人の雰囲気に包まれて、ポーカーはもちろんのこと、バカラにブラックジャックなどカードを使った伝統的なギャンブルを楽しめることが人気の秘密のようだ。カリフォルニア州の主要都市であるサンディエゴから六〇キロ足らずなので、車社会アメリカの感覚では隣町に行くぐらいの距離の好立地だ。

所在地はバローナ・リザベーション。つまりアメリカ先住民のバローナ族居留地で、二〇九七ヘクタールの広さがある。四・七ヘクタールの東京ドームの四三一個分の広さだ。自らをミッション・インディアン（キリスト教に改宗した先住民）とするバローナ族の政府が管轄している。

人気投票の二位はコネチカット州南東部のマシャンタケット居留地内にあるフォックスウッズ・リゾート＆カジノ。四つのホテルがあり、部屋数は二二〇〇以上のかなりの規模のリゾートだ。カジノのオーナーはマシャンタケット・ピクォート族とある。

なぜ先住民の住むところに、カジノが建設されていくのか。それを理解するにはアメリカ建国前から今までの歴史をたどらないとわからない。

アメリカ開拓の歴史は、先住民の殺戮と土地強奪の歴史でもある。「アメリカインディアン」という名称も、コロンブスがアメリカ大陸を発見したときに、そこをインド大陸だと間違えて、そこに住んでいた人たちをインド人と思ったから付けてしまった名前だった。

北米大陸には現在のメキシコをふくめて、日本人と同じモンゴロイド系の人びとが住んでいた。それぞれの部族は民族名も言葉も持っていた。部族ごとの支配地域は持っていたものの、国境という概念は持っていなかった。ヨーロッパから来た白人たちは、時に先住民がほしがるウイスキー一本と交換、時には彼らが持っていない銃という武器で脅して、広大な土地を取り上げていった。そのころに、従来の土地での狩猟を今まで通り認めるなど、様々な契約を交わしている。

アメリカ合衆国独立後も、アメリカ人と名前を変えた白人たちの土地の強奪は終わらない。移動先の土地を奪われ、「インディアン・リザベーション」と名付けられた不毛の地に追いやられていく。現在、リザベーションと呼ばれる地域は、全米に五〇〇以上あり、連邦政府内務省のインディアン局が「国家間」の契約に基づいて、管理している。「国家間」の契約だから、リザベーションには部族の統治機構も自治権もある。

ここで話はややこしくなる。かつてアメリカ、特に中西部ではアメリカ合衆国はあっても、「州」がまだ存在しない広大な地域があった。今でこそ、大都市ロサンゼルスを持つカリフォルニア州でさえ、一八五〇年に三一番目の州として、アメリカ合衆国に加わっている。インディアン居留地の多くは、居留地があるところが州になる前から存在した。だから、州ができたころに、二つの州にまたがっているリザベーションもあった。連邦政府、州政府、そして独自の部族統治機構の微妙な力関係の中で、リザベーションは存在していたし、今も法的には同じ状態にある。

先住民カジノの話に戻そう。

ネバダ州、ニュージャージー州がカジノ開設の許可を出す以前は、アメリカ合衆国にはケンタッキー・ダービーなどの競馬はあったものの、ギャンブルの営業は事実上禁止だった。先住民カジノはこの隙間をついた。一九七九年、生活のためにフロリダ州で高額のビンゴゲームを始めた部族がいた。フロリダ州はこれを停止させようとしたが、部族と州がカジノ経営の是非をめぐって裁判になった。二年後に米連邦最高裁は部族のビンゴ場経営の権利を支持する判決を下した。

同様の裁判がカリフォルニア州であった後、「インディアン部族による賭博の開催は連邦と州の管轄外」と連邦最高裁は判決を下している。一九八八年になると、連邦議会は「インディアン賭博規制法」を通過させた。政府が公式に認定した部族は州政府との交渉を経て、規定に従いながら、カジノを室内で運営することができるようになる。州政府の規制を受けるようで受けにくい政治状況の中で、先住民カジノはどんどん増えていった。ラスベガス以外でベストカジノに選ばれたバローナカジノは二〇一〇年に営業を開始した。二位のフォックスウッズは一九九二年に営業を開始している。

アメリカ先住民の悲劇は「悲しみの道」という言葉にすべてが表れている。

アメリカ独立革命戦争で、アメリカに加勢したチェロキー族を含めた五部族が、住みなれたアメリカ南東部を離れ、ミシシッピー川以西に強制的に移動させられた悲劇を指す。徒歩で寒さの中を移動した人々の半数は、飢えと寒さで死亡したという。多くは子どもたちだ。一八三〇年のことだった。だが、これは悲劇の歴史の終わりではなかった。

大統領選挙を翌年に控えた二〇一九年、カリフォルニア州の知事が先住民族の代表を前に、一万六千人以上をカリフォルニア州が虐殺したと公式に認めて、報道陣の前で謝罪した。その少し前に、狩猟は先住民族に認められているとした先住民の男性の訴えが勝訴した。先住民との一八四年前の契約で、部族を代表して、投票権はないものの、米連邦議会下院に議員を派遣できるという条項をもとに、チェロキー族を代表して女性族長が下院に登院した。わずか二百五十万人に満たないアメリカ先住民族ははっきりと生き続ける意志を表明し始めている。アメリカをアメリカ自らの負の歴史の主人公たちが追いかけている。

変革を感じられない日本に、アメリカ先住民の胎動がやってきた。日本にカジノをひらこうというIR誘致運動の中で、米コネチカット州のモヒガン族が北海道の苫小牧に事務所を開設したのだ。モヒガン族はリザベーションでのカジノ開設に成功すると、カナダ、韓国など七カ所にリゾートカジノを開設した。雪に見舞われる自分たちの故郷と共通した自然を持つ苫小牧に、日本のIR計画にふさわしいカジノを作ろうと計画しているのだった。北海道知事のIR計画放棄の会見はあったが、彼らはまだあきらめてはいない。

タイガー・ウッズにトランプとオバマの共通点

タイガー・ウッズ、トランプにオバマの名前を聞いて、知らない日本人はほとんどいない。この三人の有名人に共通している、とてもとても大事なことがある。それはなんでしょうかと聞いてみたら、どんな答えが返ってくるのだろうか。もし、この組み合わせが、タイガーとオバマ、トランプとオバマのそれぞれ二人組なら簡単と思う人はたくさんいるはずだ。不惑の年を過ぎて、奇跡の復活でマスターズに優勝。日本に来て、「日本大好き」と言ったタイガー・ウッズから「ひょっとしたらゴルフ？」と思い浮かべる人もいるだろう。

事実、歴史上で最低の評価を受けるアメリカ大統領トランプは、自分のゴルフコースを各地に持ち、ホワイトハウスにいるよりは、フロリダのゴルフリゾートで週末を過ごしていると批判されるゴルフ中毒。復活したタイガーとコースを回ったこともある。

実はオバマもゴルフ大好き人間。二〇〇八年の大統領選挙では庶民派をアピールするために、ゴルフを控えていたが、アメリカの庶民階層が好むボウリングに招待されて、ガーターを連発して、ボウリングなどやったことがないことが暴露されてしまった。初の黒人大統領として歴史的な当選を遂げてからは、しばしばゴルフをするシーンが取材されている。でも、ゴルフが三人の共通点であるとするのでは、あまりにもクイズの答えが簡単すぎる。

トランプとウッズの共通点は間違いなく無類の女好き。女好きという言葉が、差別的であれば、二人とも女性との性的関係が病的に好きだと言い換えてもいい。タイガー・ウッズは性依存症と診断されている。若いころはハンサムだったトランプは結婚、浮気で離婚、結婚、そして、たぶん浮気がきっかけで離婚、現在のファーストレディー、メラニアと結婚して現在に至る。女好きのタイガーとトランプは、好きになる女性がコーカシアン、すなわち白人であることも共通だ。

白人の女性が好きという点では、オバマにもある程度共通点がある。典型的なアメリカの白人女性を母親として、幼いころに白人の祖父母に育てられたことが影響しているのかどうかはわからないが、自伝で結婚を意識して最初に付き合った女性は白人であることを明かしている。でも、これも共通点としては弱すぎる。

「三人ともアメリカ人？」当たり前だが、そう思う人は正解まであと一歩。パチパチパチ。チコちゃんのように焦らせずに正解を明かそう。三人がアメリカ国籍を持っているのは当たり前だが、重要な共通点は、両親の片方がアメリカ生まれのアメリカ人ではないことだ。オバマの父親は英国植民地ケニアからの留学生。タイガーの母親は中国系のタイ人。だが、トランプはどうか。裕福なアメリカ人家庭に生まれたのではないのか。

トランプの父親フレッド・トランプは、二十世紀を迎えたばかりのころ、ニューヨークの下町ブロンクスに生まれた。フレッドの母親、つまりトランプ大統領の祖母はドイツから帰化していた。フレッドは中学校を卒業すると不動産業をやる母親を手伝い始めた。ふたりが目を付けたのは低所得層の住むブロンクスとクイーンズ地区。アパートなどの不動産販売で儲けて、事業を拡大していった。トランプはニューヨークの低所得者層の住むクイーンズ地区で生まれた。生家はまだ残されている。父親は苦労しながら、不動産業を立ち上げ莫大な資産をトランプに残した。

トランプを産んだ女性は一九三〇年、スコットランドからやってきたメアリー・アンだ。

残された写真を見ると品のいい美しい女性だ。トランプの父親が惚れてしまうのも無理はない。二人はパーティーで出会い、結婚した。そして、四番目の子どもドナルドを産んだ。一九四六年のことだった。メアリー・アンは一九四〇年にすでに米国籍を取っていた。だが、英語ではないスコットランド固有の言葉の世界で育ったメリー・アンの心の中はアメリカ人ではなかった。トランプはだからアメリカ人とスコットランド人の混血少年。

オバマはどうか。母親はアメリカの中西部で生まれた典型的な白人。その母が、ハワイの大学で学んでいたころに、アフリカの英領ケニアから留学していたオバマの父親と出会い、結婚した。だからオバマはハワイ生まれのアメリカ人で、白人と黒人の混血少年だ。

タイガー・ウッズの場合はかなり複雑。母親は中国人とオランダ人の血を引くタイ人。父親は黒人だが、アメリカ先住民と中国人の血を引くアメリカ人で、ベトナム戦争の最中、陸軍中佐としてタイに派遣されたときに、タイガーの母親と恋に落ち、結婚した。二度目の結婚だった。そして、タイガーはカリフォルニア州サイプレスで生まれた。

ここまでくると、混血少年という言葉が意味を持たないので、タイガーはタイガーという人間なんだと言っておこう。タイガーは自らの民族的ルーツを、「カブリナジアン」という自ら創作した造語で名付けている。白人を意味するコーカシアン（Caucasian）、黒人（Black）、インディアン（Indian）そして、アジア人（Asian）の頭のアルファベットを取って、〝Cablinasian〟（カブリナジアン）となる。地球上に存在する人類はすべて含まれている。宇宙からエイリアンでもやってきて人類と結ばれないと、これ以上の混血は地球上ではできない。だから、タイガー・ウッズは今のところ世界の究極の混血少年。

この三人の混血少年たちはどのようにしてアメリカ国籍を得たのだろうか。

話は簡単だ。三人は両親がどの国の人間であれ、アメリカ国内で生まれたので、アメリカ人になった。生まれた時に病院や産院から発行される出生証明書（Birth Certificate）があれば、アメリカ人として認められるのだ。

アメリカの短い歴史の中で、両親がふたりとも移民で、アメリカに移住してから子どもを産む場合が多かった。その子どもたちがアメリカ国籍を取得することで若い人口が増えていったのだ。大きなお腹を抱えたまま移民してきた女性はたくさんいる。もし、両親、あるいは片親がアメリカ国籍を持っていなければ、生まれた子どもがアメリカ国籍を得られないとすると、アメリカ国籍を持てない子どもがどんどん増えてしまう。両親に国籍を与えた後に、子どもを産んでもらうのには手続きに時間がかかりすぎるし、自然の理に反する。だからこの制度が生まれたのだろう。

この制度に目をつけた中国などの富裕層は、臨月を迎えた女性が訪米。産んだと思ったら病院の用意した出生証明書にサインして帰国することが頻繁にある。そのための宿泊施設と産院があり、時に違法なビジネスとして摘発を受けている。繁栄が頂点に達すると国が衰退し、次の王朝を生み出す革命が繰り返された中国の四千年の歴史から学んで、中国で次の革

2010年および2000年の米国国勢調査結果

	2010年人口	人口に占める割合	2000年の人口	人口に占める割合
全体の人口	308,745,538	100.0%	281,421,906	100.0%
単一人種				
白人	196,817,552	63.7	211,460,626	75.1
黒人またはアフリカンアメリカン	37,685,848	12.2	34,658,190	12.3
アメリカンインディアンとアラスカ先住民	2,247,098	.7	2,475,956	0.9
アジア人	14,465,124	4.7	10,242,998	3.6
Nハワイ先住民その他の太平洋諸島人	481,576	0.15	398,835	0.1
二つ以上の人種	5,966,481	1.9	6,826,228	2.4
その他の人種	604,265	.2	15,359,073	5.5
ヒスパニックまたはラティーノ	50,477,594	16.3	35,305,818	12.5

Infoplease: Population of the United States by Racd and Hispanid/Latino Origin, Census 2000 and 2010より作成

命が起きた時に、逃げ出すことを考えているのかも。そのときに備えて、富裕層は中国の資産をアメリカに移しているように思えるアメリカ発のニュースは多々ある。

アメリカ人には日本でいうところの戸籍がない。戸籍制度がないという言い方が正しい。だから、出生証明書はお金に換えられない大事な書類だ。これ以外に、本人がアメリカ人であるという証明はない。パスポートもこれがないと発行されない。だから、死ぬまでしっかりと保存しておかなければならない。

アメリカでは、国籍問題以上に人種あるいは民族性が問題になる。

十年ごとに行われる国勢調査の質問項目にそれは表れている。国勢調査の最新は二〇一〇年のもの。次回は二〇二〇年、大統領選挙の年だ。二〇一〇年の調査の質問に人種の選択項目が書かれていて、人種別に人口も記載されている。ここに国籍や市民権の記載欄はない。

順に、単一人種として五区分、「白人」、「黒人またはアフリカンアメリカン」、「アメリカンインディアンまたはアラスカ先住民」、「アジア人」、「ハワイ先住民または太平洋諸島民」。「二つまたはそれ以上の人種」、「それ以外の人種」──の七項目に加えて、「ヒスパニックあるいはラティーノをオリジンとする」という項目が加えられている。この調査時点で、総人口は約三億八〇〇万人、白人は七五・一パーセントを占めている。黒人は一二・三パーセントで第二位と思いきや、ヒスパニックあるいはラティーノ（中南米出身者）が一二・五パーセントで、五〇四七万七五九四人となっている。

では初代大統領ジョージ・ワシントンが就任してから一年後に行われた、一七九〇年の第一回国勢調査では「人種」の区分はどうなっていたのか。

・十六歳以上の白人男性
・十六歳以下の白人男性
・自由民の白人女性
・その他の自由民

・奴隷

この国勢調査のデータの冒頭に、全人口の奴隷の比率は一七・八パーセントで、これまで行われた国勢調査で一番高いと書いてある。つまり、アメリカは建国時には五人に一人弱が奴隷の国だった。

歴史の浅いアメリカ合衆国は建国時から、文字化された歴史がすべて残っている点で世界でも稀有の国。いろいろな変遷が数字や文字の記録に表れてくる。その一方で変わることのできなかった思想とも呼べる根本的な古い考え方が、好むと好まざるとにかかわらず、そのまま残っているのがわかってしまう。

国勢調査の目的は、第一に人口の把握と課税対象の予測のため。それに世界最初の「民主主義国家」として選挙をやるための州ごとの下院議席数の決定のためにも使用される重要な調査だ。だから、人種とジェンダーは重要な意味を持っていた。アメリカで女性参政権が認められたのは、一九一一年、カリフォルニア州が最初だが、連邦憲法で女性の参政権が認められたのは一九二〇年と十年近く遅い。黒人については奴隷解放宣言で自由民となったはずなのに、様々な形で選挙権を持つことが南部などでは阻止されていた。

南北戦争開始の一年前の一八六〇年にも国勢調査は行われた。当時、アメリカ合衆国は三三州と一〇の連邦政府管轄下にある領土からなり、人口は約三一四〇万人でこの人口総数には約三九五万人の奴隷が含まれている。人種の区別の質問項目は三項目。白人、黒人そしてムラートだ（Description: Color, (White, black, or mulatto)）。ムラートとはヨーロッパ系白人と黒人の混血を指す。

四百年以上前に、アフリカから最初に奴隷が「輸入」されたバージニア州（当時バージニア植民地）の人口は約一五九万人、そのうち約四九万人が奴隷で州の人口の三割を占める。奴隷人口の多さにびっくりしてはいけない。建国時の一三州のひとつサウスカロライナ州では約七〇万人の総人口のうち、奴隷人口が約四七万人で、奴隷が全人口の六七パーセントを占めている。当然だが、北軍に加わったニューヨーク州などの州には奴隷人口は存在しない。

世界恐慌の引き金となったウォール街の株価大暴落の翌年、一九三〇年の調査では、アメリカ社会と経済の急速な変化を反映して、肌の色あるいは人種とのタイトルが設けられた。国勢調査員は、白人ならW、黒人ならNeg、メキシコ人ならMex、アメリカンインディアンならIn、中国人ならCh、日本人ならJp、フィリピン人ならFil、ヒンズー教徒ならHin、朝鮮人ならKorと記入。その他の人種はフルスペルで記入と決められていた。黒人を「ニガー」、日本人を「ジャップ」と呼ぶ差別の素地が見えている。その年の人口は一億人を超えている。

初代大統領ジョージ・ワシントンが就任した時、アメリカは大西洋に面した東海岸の孤立した貧しい小さなコミュニティーの集合体だった。ヨーロッパからの移住者に未婚の若い女性は極端に少なく、圧倒的に男性が多かった。そんな中でも、男と女は恋に落ちる。肌の色も、人種も関係ない。ましてや身分の違いなど関係ないのだ。たとえ、それが奴隷と主人であっても……。

アメリカ独立宣言の起草者で、のちの第三代大統領トーマス・ジェファーソンも恋をした。最愛の妻を失って、何年も経っていた。恋をした相手は、自分の所有する奴隷のサリー・へミングスいう少女だった。在フランス米国大使として赴任するジェファーソンは亡くなった妻が残した二人の娘の面倒を見るために、サリーをパリに連れていった。パリの自由な空の下で、大人の美しい女性に成長したサリーとトーマスは結ばれたというのが定説だ。二人が恋をしたのかはわからない。トーマスが所有者としてサリーに関係を迫ったのではないかと疑う人たちもいる。だが、パリでの二年半に及ぶ自由な生活を終え、アメリカに帰国するとき、サリーは帰国したら、彼女と生まれてくる子どもたちを自由民にすることを条件に、自分が生まれ育ったバージニア州モンティチェロの邸宅に戻った。一七八九年の九月だった。

それからは長い、長い話になる。すべてはジェファーソンの子孫たちが組織するモンティチェロ財団の見解になる。

故郷バージニアで二人は六人の子どもを授かった。生まれた六人の子どものうち、二人は幼いころに亡くなった。サリーは奴隷であった母親と、イギリス人の船乗りとの間に生まれた混血児だった。ジェファーソンとの間に授かった女の子二人は、見た目は白人と変わらなかったので白人たちと同様に育てられた。

ジェファーソン自身はサリーとの関係について沈黙を守った。だがサリーと自分の間に生まれた子どもたちを自由民にした。しかしサリーを奴隷の身分から解放することはなく、小さいがこぎれいな専用の家を邸宅内に建てて、住まわせていた。サリーはトーマスとの生活を捨てたくなかったのか、それともサリーが去っていくことがトーマスには耐えられないぐらいつらいことだったから、奴隷主として地位を利用したのか。それはこの二人にしかわからない。たぶん二人は愛し合っていたのだろう。

サリーはジェファーソンの死後、親類の家に自由民として移住。そこで生涯を終える。パリで世話をしていたトーマスと正妻の間の二人の娘も若くして亡くなった。それでも、ジェファーソンと正妻の間の子どもはまだ二人いた。サリーが産んだ子とあわせて、六人がジェファーソンの血を引き継いだといわれている。生き延びた子どもたちは、それぞれ結婚して、この世に命を残して死んでいった。この繰り返しで二百年近くの月日が過ぎた。

ジェファーソンと妻の間の子どもたちも子孫を残していった。「建国の父」（ファウンディング・ファーザー）の一人であり、人間の平等を説いたアメリカ独立宣言の起草者の血を引く子孫たちの結束は固い。ジェファーソンの住んでいたバージニア州シャーロットビルにあるモンティチェロの邸宅を記念館として残すとともに、毎年一回、全米に散る子孫たちのリユニオンの開催を続けてきていた。

サリーとジェファーソンの血を引く子孫たちもそれに参加したいと主張し始めたのは、

二十世紀の終わりごろ。一〇〇人以上の人がジェファーソンの子孫と名乗り出た。ニュースなどの映像を見ると、黒人なのか白人なのかわからない人がたくさんいる。二百年あれば、一人の人間にどんな血が混ざっているかなどは「神のみぞ知る」だ。

純粋な白人の子孫たちは強硬にサリーの子孫たちの参加を拒絶した。だがDNA鑑定の結果、子孫と主張する多くの人たちが、ジェファーソンの血をひいているとの結論が出た。

一九九八年の初夏だった。サリーとトーマスが暮らしたモンティチェロの邸宅の前で、子孫たちが一堂に会して、記念写真が撮られた。多くのメディアも取材している。インターネットで見るその写真に写っている人たちは、誰もが笑顔を見せている。その写真を見て、ふと思った。トーマス・ジェファーソンは「建国の父」の一人であるとともに、究極の混血である「アメリカ人」という民族の創始者ではないのか。公式の場で否定しながらも、ジェファーソンの頭の片隅には、アメリカの遠い未来の姿が見えていたのではないのか。アメリカの現実はそのように進行している。

だが、ジェファーソンが生きていたバージニア州ではそれが完全には実現していない。二〇一九年、三組のカップルが州を相手に訴訟を起こした。カップルは婚姻届けを出そうと思った。ところが、属する人種を選択する記入欄があった。カップルたちの主張は明確だった。人種で分類するのは科学的根拠がなく、差別を禁ずるアメリカ合衆国憲法に違反するというものだった。現在、バージニア州を含め、合計八州が婚姻届けに「人種」の明記を求めている。

アメリカ人は建国以来の現実を受け入れて「アメリカ人」という民族を形成できるのか。それとも心の中の人種的分裂をそのままに生きていくのか。今が正念場だ。

二〇四〇年の国勢調査では白人が歴史上はじめて、全人口の五〇パーセントを切り、少数民族になると予測されている。

「暗黒大陸アメリカ」の狩猟牧場

暗黒大陸と呼ばれていた大陸が地球上にはあった。そう呼んでいたのは、ヨーロッパ人。そう呼ばれていたのはアフリカ大陸だった。

文化的に進んでいたイスラムの侵略を受けていたヨーロッパが、なんとかその侵略を押し戻したのは、十五世紀末。その痕跡は、現在のポルトガル、スペインに残っている。

そのイスラム圏を越えて広がるサハラ砂漠以南のアフリカは、ヨーロッパ人にとっては色の黒い人間が住む未知の大陸だった。地中海に面した地域はともかく、その地が人類発祥の地であるのにもかかわらず、過酷な自然と病気が蔓延する内陸部は文字通りの「暗黒大陸」と、ヨーロッパ人は思っていた。

では大西洋を挟んだ北アメリカ大陸はどうだったのだろうか？　「アフリカ」の「フ」の一文字を「メ」に入れ替えると、暗黒大陸「アメリカ」になる。アメリカ大陸をインドと思ったのだから、当時のヨーロッパ人がアフリカと同じように、アメリカを「暗黒大陸」と思っていたとしてもおかしくない。

世界一の先進国で、かつ民主主義国家の模範と思っているアメリカ人たちに、「アメリカは今もある意味で未開の暗黒大陸」と言ったら、どんな反発があるだろうか。

ユーラシア、アフリカに続いて広い北米大陸にあるアメリカ合衆国には、現在三億数千万人の人間が住んでいる。広大な大地にハイウェイが走り、さぞかし開発が進んでいると思うだろうが、とんでもない間違い。二〇一〇年の国勢調査によれば、なんと全領土の四七パーセントには人が住んでいないのだ（注）。

実施された国勢調査は全米を一一〇七万八三〇〇のブロックに分け、人口調査をした。そのうち、四八七万一二七〇ブロックの四六一万平方キロに、人が一人も住んでいないという結果が出た。ブロックの大きさは行政地域の区分や、河川、砂漠、山岳地帯かなどの地形を考慮して決められたので様々だ。日本の国土面積は三七万八〇〇〇平方キロなので、日本の面積の一二倍以上のアメリカ領土が、無人の地なのだ。そこが前人未到の地だったのかはわからない。はるか昔には先住民が住んでいたのかもしれない。また、白人が開拓しながらも、放棄され現在は無人の町になっているのかもしれない。アメリカには企業が撤退して、企業

（注）https://www.reddit.com/r/Map_Porn/comments/7j8we1/nobody_lives_here_places_of_the_united_states/

城下町全体が無人になった場所は多数ある。だが、数字だけからいえば、アメリカは未開の地であるといってもおかしくない。

では「暗黒大陸」と全体が呼ばれたアフリカ諸国はどうか。ジャングルもサバンナも、巨大な湖もあり、猛獣も住んでいるけれども、今や貧富の問題を抱えながら、経済発展が目覚ましい。二〇五〇年には人口が現在より倍増して、二〇億を超える勢いで、人間たちの住む領域が動物たちを圧迫している。

おもしろいことに「アフリカ」と「アメリカ」の間を結びつけるキーワードがある。それは「トロフィー・ハンティング」。「はく製にするための野生動物狩り」とでも訳せばいいのだろうか。かつての「暗黒大陸」アフリカには現在、世界中から「ハンター」が有料で動物狩りができる場所が多数ある。高額のハンティング代は政府が管理して、動物たちの環境保全のためにつかわれるという。

「ハンティング」された動物の頭部などは、「トロフィー」(戦利品)と呼ばれ、はく製に加工されて、「ハンター」の国に輸出が許可される。日本でいえば、釣った大物の魚の魚拓を採るような感覚だ。

実はアフリカ諸国に「ハンティング」に訪れる外国人の八割はアメリカ人だという。あるアメリカ人の女性が、南アフリカ共和国に行ってキリン狩りをした。その時のことをソーシャルメディアに映像付きで流したら、非難が殺到した。大地に倒れている射殺したキリンと、銃を手に歓声をあげて、記念写真を撮る彼女。そばのキリンは目を閉じ、死んでいる。突然訪れた死を憎む顔ではない仏顔だ。人間以外の動物たちは生と死の間に恐怖はあっても、苦痛は死後の表情にでない。

ソーシャルメディアで非難が殺到したのは、写真に写っていたキリンの顔があまりにもかわいかったからに違いない。世界の動物園で子どもたちの人気が集まるのは、一にゾウさん、二にキリンさんだ。その姿形はあまりに人間とかけ離れているけど、しぐさがとても愛らしい。女性はそのキリンの肉を食べ、おいしかったと投稿したことも、火に油を注いだ。

高い飛行機代に宿代、それにハンティング代を払ってアフリカまで行くハンターがいるぐらいだから、広い無人のアメリカの大地に手軽な「ハンティング」のための施設があるだろうと、インターネットで検索してみる。かなりあるのだ。検索キーワードは英語で「ハンティング・ファーム」。東海岸から西海岸まで「狩猟牧場」が点在しているのにはびっくり。もちろん、銃大国のアメリカだから、野生の鳥やシカをハンティングできる自然の森や原野はある。そればかりでなくエキゾチックな動物のハンティングをできるところを有料で運営しているのだ。

テキサス州にオックス・ランチ（Ox Ranch）というところがあった。なにしろ、ウェブサイトのトップ写真の広大さはすごい。小高い丘に囲まれた平原のはるか向こうに山並みが見え、中心部には湖がある。どこまでが牧場の敷地かわからないが、広さは一万八千エーカー。

東京ドーム一五五八個分超の広さがある。太平洋に浮かぶ八丈島より広いのだ。隣接地に飛行場もある。自家用機でくる顧客が利用するのだ。

もちろん、ここには三食付きの野趣に富んだ宿泊施設がある。ハンティングの基本料金は二泊三日のウイークエンド料金で、一人一二〇〇ドル（日本円約十三万円）。もちろん食事代込みだ。狩りをしない家族は一泊二〇〇ドル（日本円約二万千円）になっている。

獲物が捕れた場合には、その獲物のはく製代、食用とするために肉の処理施設への運搬など、手取り足取りのサービスが提供される。値段は獲物の希少性や大きさで違ってくる。人気のある北米原産のヘラジカは小さいもので八五〇〇ドル、最大のもので三万五〇〇〇ドルもする。絶滅の危機に瀕しているバッファローは六五〇〇ドルだ。アフリカ大陸の動物としては、アンテロープが六五〇〇ドル、インパラが五五〇〇ドル、シマウマが五五〇〇ドル。変わったところでは北米に生息するワニ、アリゲーターのハンティングもある。体長に応じて四五〇〇ドルから一万一〇〇〇ドルまでの価格が付けられている。

ここのハンティング・ファームでは六〇種類の野生動物をハンティングの獲物として用意している。キリンも飼育しているが、世界的に数が少ないために、キリンに手から餌をやることはできるが、猟はできない。

ウェブサイトには、殺されたばかりの動物たちと笑顔で記念写真を撮影するハンターたちの姿がカラー写真で載っている。若いカップルが満面に笑みを浮かべる前に横たえられた動物たちの目はなぜか、大きく見開かれている。だが、その澄んだ瞳は自分たちが駆け回っていた大地を再び見ることはない。

獲物たちの首は切り取られ、眼球は取り出されてガラスの義眼が入れられて、自分を殺した人間たちの家の壁に飾られる。

なぜかこの狩猟牧場には第二次世界大戦やベトナム戦争で使用された各国の有名な戦車や装甲車が多種多数ある。展示されているのではない。運転して、砲撃や機関銃を撃ちたいという顧客の声があり、有料で貸し出している。顧客の多くは戦争で実際に運転したことがある人たちだ。標的の動物はいない。撃てば動物たちの体がばらばらになってしまうからだろう。戦車の操縦と砲弾一発の値段は三二〇〇ドル（日本円で約三五万円）。

ふと思った。この狩猟牧場に来るアメリカ人たちは動物たちを銃やボウガンで狩ることと、実際の戦闘で戦車の砲弾を撃つことに違いを感じていないのではないか。撃つ相手が、動物か人間かだけの違いだ。そして、思い出した。

ベトナム戦争で米陸軍の小隊が、ソンミという村を襲い、おびえる人たちを射殺して、その写真を「ライフ」に売った。多くの犠牲者が幼い子どもたちだった。犠牲者は五〇四人。部隊の責任者カリー中尉は軍法会議で死刑にならずに終身刑。減刑され現在は自由の身となってアメリカで暮らしている。

最近ではイラクでＩＳＩＳ（イスラム国）の少年兵を射殺、その遺体と記念写真を撮影したネイビー・シールズ（海軍特殊部隊）が軍法会議にかけられたが、トランプ大統領が恩赦を与えて問題になっている。遺体と記念写真を撮る行為はかなり行われている。ある下院議員が「私もやったことがある」と堂々と言っている。

エリート部隊の将校が、笑顔で遺体と記念写真を撮影する意識と、狩りをした動物たちの顔が見えるように持ち上げて、記念写真を撮影するハンターたちの意識の間に違いはあるのだろうか。恐ろしいことに同質性を感じざるを得ない。

アメリカにやってきてから、白人たちは自分たちの邪魔になる生き物たちを殺戮してきた。先住民という人間を含めてだ。西部に広がる大地にはかつて数千万頭の野生のバッファローがいた。中西部の山麓部にはオオカミが多数生息していた。白人たちは、自分たちの領土拡大を妨げる先住民から食料を取り上げるために、バッファローのジェノサイドを実行した。アメリカオオカミもある州では絶滅させた。

今、アメリカ人の中では、自然環境を守るために、草原でのバッファローの復活を目指す動きがある。カナダからオオカミを運んできて、草木を食べつくすシカなどをオオカミたちが食べることで、自然界のバランスを取り戻そうとする動きもある。しかし、動物たちを自然の中に囲い込み、動物たちを殺させるために育て、その死と引き換えに金を得る現実を見ていると、なにかが納得できない。アメリカ人の自然観、人間の生と死、生き物に対する考え方はなんだろう。

ブロードウェイは狭い道

ミュージカルにあこがれる若い人たちなら、一度はブロードウェイの舞台に立ちたいと思っていることだろう。そんなことを夢見る若者にもし出会えて、「ところでブロードウェイは、どこの国のどの都市にあるの?」と尋ねたら、心の中で、「え!」と思われながら、顔を背けられるのが落ちだ。

万が一、「おじさん知らないの? ニューヨークに決まっているじゃない」と答えてくれたら、意地悪く「ニューヨークのどこにあるの?」と聞いてみたい。「タイムズスクエアだよ。当たり前じゃない」と多分答えてくれるから、「長さはどれぐらい?」という野暮な質問はやめる。若者たちの頭の中には、銀座通りか、六本木通りぐらいの長さのイメージしかないだろう。それにブロードウェイは、全米の都市の至るところにある。ストリート名の数の多さの統計では五〇位にも入っていないが、アメリカの大き目の都市に行けば、どこかにブロードウェイがある可能性が高い。ニューヨーク市内のクイーンズ、ブルックリン地区にもブロードウェイが通っている。

さてニューヨークの有名なブロードウェイは、日本人が一般的にニューヨークというマンハッタン島を南北に貫く形で走っている。だが、それは「広い道」を意味するブロードウェ

イではない。また、まっすぐな道でもない。古い地図を見ればすぐにわかる。(注)

四〇以上の劇場が密集していることで知られるブロードウェイは、マンハッタン島の南端、バッテリーパークを起点に、ウォールストリートをかすめ、そのまま歩いて一時間ぐらいの、タイムズスクエアあたりのことをいっている。東西に横切るストリートでいえば、四二丁目から五〇丁目にかけてのシアター・ディストリクトと呼ばれているあたりだ。

マンハッタン島では東西に走る道路はストリートで、細かく道路がある。広いアベニューは南北に走る。有名な五番街はブロードウェイと一部クロスしていながらも、ほぼ隣接して平行に走っている。

まっすぐな道路が多いアメリカの都市で、なぜマンハッタン島のブロードウェイはまっすぐではないのだろうか。マンハッタン島は細長く、中央の海抜が高い。今はニューヨークと呼ばれるこの島に最初に入植したのはオランダ人。約四百年前の話だ。だからニューヨークはニュー・アムステルダムと呼ばれていた。ご存じのように、アムステルダムはオランダの首都の名前だ。ちなみにヨークはイギリスの都市のありふれた名前で、イギリス各地にある。

現在のブロードウェイは、マンハッタン島に住み着いていたアメリカ先住民の細い道に沿ってつくられた。高低差を考えながら、島を海からの高波などの被害をふせぐために、安全なところに道がつくられたようだ。

ヨーロッパから移入された馬はアメリカ先住民には無縁の存在だった。馬車を走らせるわ

(注) http://www.bigmapblog.com/2013/birdseye-view-of-new-york-and-environs-bachmann/

けではないから、道をまっすぐにする必要がなかった。山間部の多い日本の道のように、歩きやすいところに道ができていったと思えば理解しやすい。だから、拡張はされただろうが、ブロードウェイはブロードではない。ブロードはブロードバンドと同じ意味で、ずばり「広い」道のはずだが、歩いてみればわかる。ニューヨークを南北に走る「アベニュー」に比べて、ブロードウェイは狭い。だが、長い。

ヨーロッパで仕事がなくなり、アメリカへの移住を目指した人たちが、入国審査を受けるためにまずは収容されたエリス島が見えるマンハッタン島の南端。バッテリーパークからブロードウェイは始まる。北に向かって歩き始めれば、右側には世界経済を支配するウォールストリートがすぐにある。ウォールは壁。壁に囲まれた道だから、ウォールストリート。なぜ壁を作ったのか。敵から身を守るためだ。バッテリーパークのバッテリーは野球のバッテリー、電池のバッテリーと同じ英語だが、本来の意味は砲台だ。

マンハッタン島にヨーロッパ人が入植を始めたころ、地域を支配していたアメリカ先住民からの襲撃を恐れた。地域を支配していても、国家概念が希薄な先住民に入植許可を求めたわけではない。ましてや現代のように移民申請などしていない。力づくで、住み着いただけなのだ。先住民にしてみれば、やってきたヨーロッパ人はすべて不法移民だ。また、ヨーロッパ人同士も祖国の国家間の対立が、この小さな植民地にも影響していた。自衛のために武装することが生きるための必須条件だった。

そんなことは忘れて、ウォール街をちらりと右目で見ながら、なだらかな道を北に上がると、左側に古びた教会がある。トリニティーチャーチだ。墓石を見てみると、その主の死去した年の古さにびっくりすることだろう。一七〇〇年代はざらだ。ここに、ミュージカルの大ヒット作になった「ハミルトン」の主人公が眠っている。アレクサンダー・ハミルトン享年四十九歳。

ハミルトンは英領西インド諸島生まれ。貧しい両親と死別して、兄とともに孤児となった。ある商人の経営する店で働き始め、苦学の中で文才を発揮するとともに、独立戦争ではジョージ・ワシントン司令官の副官を務めた。独立革命に勝利したアメリカ連邦政府の初代財務長官を務めた、一〇ドル札に印刷されている人物だ。ファウンディング・ファーザーズ（建国の父）の一人として、尊敬を込めて呼ばれるハミルトンだが、拳銃での決闘のケガから年老いることなく死去した。その生き方が、アメリカンドリームを体現しながら悲劇の死を迎えたとして、アメリカ人の共感を得たから、ミュージカルが多くのアメリカ人を呼び込んだようだ。

教会を出て、ブロードウェイを小一時間歩き続ければ、そこでは多分まだ上演中の「ハミルトン」に出会えるだろう。なにしろ、「ブロードウェイ」にはミュージカルを上演する劇場が四〇以上はあるのだから、きっとまだやっている。

観光客であふれるブロードウェイ周辺だが、景気の悪かったころには、決して安全な場所ではなかった。四十年ぐらい昔のことだ。セックスショーを見せるストリップ劇場もあった。真っ昼間だった。タイムズスクエアのレストランで、窓際で外を眺めながら、私はランチを食べていた。一人の黒人少女が近づいてきて、窓ガラスを叩き、口に手を持っていった。彼女は飢えていた。私は何もすることができずに彼女の目を見つめていた。後ろの道の西側にはウエスト・サイド・ストーリーで有名なウェストサイドが広がっていた。

日本人の誰もがブロードウェイと思っているタイムズスクエアをさらに北上してみる。リンカーンセンターがあって、その東側にはセントラルパークがある。高層ビルで埋め尽くされたマンハッタン島で森と水のある場所だ。

さらに北上を続ける。持っている観光客用の地図を見てみる。すると、その先に道はあるのに、地図には掲載されていないことに気づく。スマホで検索してみる。観光用のサイトには、やはりその先がばっさりと切り取られている。観光客が行かないから地図にない。地図にないから観光客が行かない。だから、そこには人の気配のない魅力的な森がある。数百年を経た樹々と、鳥たちが待っている。その名をインウッドの森。

「インウッド」はずばり「森の中」だ。タイムズスクエアから歩いて、リンカーンセンター、コロンビア大学を横目に見ながら、そのまま歩き続けると、次第に高層ビルは姿を消していく。右手にはハドソン川が広がるが、あまりよく見えない。

マンハッタンを囲む川のひとつハーレム川の橋に着けば、そこはマンハッタン島の北端。

右側に文字通り鬱蒼としたインウッドの森が見える。ブロードウェイはさらに北上して、ブロンクスを抜け、隣のウェスト・チェスター郡ヨンカーズにたどり着いたところで、とりあえずの終点となる。

インウッドの森を抱える地域の名前は、インウッド。住民の七〇パーセントがラティーノ（中南米系アメリカ人）で、豪華なレストランはないが安い値段で、おいしいドミニカ料理を食べさせてくれるレストランがある。住民の福祉のためにあるテニスコートやバスケットコートを抜けて、細い歩道をたどって森に入っていくと、起伏のある丘を数十メートルはある針葉樹が埋め尽くしている。森の西側は崖だ。崖の下にはハドソン川が広がる。北側のハーレム川には、バッテリーパークを出発したニューヨーク一周遊観光船が時おり姿を現す。船に乗る観光客たちはこのインウッドの名前も知らないだろう。

インウッドの森の樹々は原生林ではない。この島をヨーロッパ人が開拓し始めたころに、ほとんどの大木が切り取られ，建築材料や寒い冬を過ごすための燃料となった。島の建設が進む中で、裸になったインウッドは取り残され、自然が自力で、人間たちが破壊したインウッドの森を再生した。

わずか海抜七〇メートル足らずの丘の中腹に、二つの岩盤に覆われた洞窟がある。洞窟と呼ぶには高さも広さもないようなところだが、そこはマンハッタン島と今は呼ばれる島に住んでいたアメリカ先住民たちの憩いの場だった。岩盤の硬いマンハッタン島だからだろうか。洞窟の上からは、しっかりした屋根のような岩が突きでている。そこには誰もいない。観光客用の看板などもちろんない。この洞窟を訪れる人はほとんどない。ましてや自分たちのニューヨークが、かつてアメリカ先住民たちの住む場所であったことを意識しているニューヨーカーなどいない。木漏れ日を受けながら、インウッドの街に戻る。コンクリートでできたアパート群がある。その古びたアパートの壁に、「フォールアウト」と刻まれている。米ソ核戦争の予想される中で、ニューヨークの至るところに核戦争勃発時の「フォールアウト」から退避するシェルターがたくさんあった。古い低層住宅の残るインウッドにはその面影がある。今は摩天楼が林立するところにも多数のフォールアウト・シェルターがあった。たぶんまだあるが見えてこない。

コンクリートの摩天楼に埋め尽くされたブロードウェイの南端から、インウッドの森までブロードウェイを歩いてみよう。早足で四時間も歩けば、たどり着く。疲れたら、その下を走る地下鉄一号線に乗って、ときどき地上に出て外を見てみればいい。日本の二六倍はある広大なアメリカの大地をヨーロッパ人たちがどう変えようとしたのかがわかる。

わずか十数キロのブロードウェイが持つ景観はアメリカの縮図だ。そこにはアメリカの遠い過去と現在があなたを待ち受けている。

第二章

なんでもアメリカン？

ゲリラ戦が生んだアメリカンコーヒー

アメリカに行ったら、日本人が接客していないのであれば、どこのレストランでもいい。食事をした後、コーヒーを注文するときに「アメリカンコーヒーをください」と頼んでみよう。マクドナルドでもかまわない。ダブルチーズバーガーを頼むときに、「コーヒーはアメリカンでお願いします」と注文すると、どういう反応があるだろうか。無視されることは間違いない。どんなにあなたの英語の発音がよくても、「アメリカン」の部分は無視され、日本人が変なことを言っていると思われるだけだ。でも出されたコーヒーは薄味のアメリカンのはず。

私はコーヒーがあまり好きではない。だけど、早朝に日本のマックに行って、ソーセージマフィンをコンビで頼む時には、コーヒーにお湯をカップの縁まで足してもらう。最初は変な顔をされたが、「スミマセンが、アメリカンで飲みたいので」と言うと、納得してくれるようになった。

実は、コーヒーという飲み物はあっても、アメリカにはアメリカンコーヒーは存在しない。日本に存在するアメリカンコーヒーが、なぜ、本家本元であるはずのアメリカには存在しないのか。それを解くカギは不思議なことに、アメリカを独立させたゲリラ戦にある。

最初のアメリカ人はもともとイギリスから渡ってきた人たちだ。ピルグリム・ファーザーズと呼ばれる人たちが、今のマサチューセッツ州プリマスの海岸に着いたのが、一六二〇年。総勢一〇二人の集団だったが、到着した最初の冬を越せずに半数が死亡したという。実はそれに先立つ一六〇七年に、イギリスが三隻の小さな帆船で、一〇五人の開拓団を送り込んだ。到着した場所はバージニア植民地のジェームズタウンだ。

イギリス出身だから、当然紅茶を飲む。決して安い飲み物ではないが、イギリス人は紅茶を手放せない。実は、のちに「アメリカ人」となる植民地の住民たちが紅茶好きだったことが、アメリカ独立革命の象徴的な事件の引き金を引くことになる。

十八世紀後半、イギリスは世界最強の軍事力を背景に世界各地で、フランス王国を主な敵に植民地争奪戦を戦っていた。北米大陸も例外ではなく、もうひとつの列強フランスとアメリカ先住民の連合軍との戦いを繰り広げた。イギリス植民地の住民は民兵を参戦させ、イギリスを勝利に導いた。イギリスはミシシッピー川以東のフランス植民地とカナダを手に入れた。フランス側についたスペインが領有していたフロリダ半島もイギリス領になった。

戦争は金がかかる。働き盛りの男たちを戦争に動員して戦死者は増やせても、生産することがまったくない戦争行為が、消費をするばかりなのは現代戦でも同様だ。金がなければどんな大国でも戦争はできない。軍需産業ばかりが儲かる中で、国として借金をするか、税金として民から取り上げなければならないのは、二十一世紀になっても同じことだ。

イギリス政府は、植民地の利益を守るために戦争をしたのだからと、植民地人に税金を課すことを考えた。植民地の人たちにすれば、勝つために命をささげているではないかと不平はたまる。イギリス本国政府はすべての印刷物に有料の印紙を貼ることを義務付けた印紙税に始まり、日用必需品への課税が始まった。日用必需品の中に、お茶が含まれていたことに植民地人の不満と怒りは高まっていた。イギリス製品の不買運動が起こっていた最中、ボストンに駐留するイギリス軍に対して、住民が不満の声をあげ、投石をし始めた。これに対し、イギリス軍は発砲、五人が死亡。のちに「ボストンの虐殺」と呼ばれる事件が起きた。

それから三年後の一七七三年十二月十六日、お茶を積んでボストンに入港したイギリスの貨物船をアメリカ先住民に変装した若者の集団が襲い、お茶の入った積荷をすべて海に投げ込んでしまった。有名なボストン茶会事件だが、茶会はティー・パーティーの訳語で、今ではアメリカ超保守グループの名前にもなっている。襲撃事件の首謀者の一人、サミュエル・アダムズという青年の名前は、ボストンで作られるアンバークラフトビールの銘柄として生き続けている。

植民地を経済的に支配しようとする母国英国への反逆を実力行動で見せたこの事件以来、紅茶を飲むのは独立を望む人たちの間で非愛国的という考えが広まり、植民地の人たちはコーヒーを飲むようになったという。

その二年後に始まるアメリカ独立革命戦争では、イギリス軍を悩ました植民地人が構成する民兵という名のゲリラたちは、寒い北部アメリカの森の中で、温かいコーヒーを飲むことを楽しみにしていたことだろう。その姿を想像しながら飲んでみると、アメリカンコーヒーはゲリラの野性的な味がなんとなくする気もする。

紅茶の代わりに、コーヒーは独立を達成した人口三百万人足らずの新興国アメリカの新たなお気に入りの飲み物になっていった。初代大統領ワシントンはコーヒー豆の輸入を手掛け、妻のマーサがコーヒーの淹れ方を完成させたという逸話がある。

西部開拓時代がくると、開拓者たちはコーヒーを飲む習慣をアメリカ西部に持ち込んだ。カウボーイたちが、コーヒー豆入りのポットを焚き火の上から持ち上げ、おいしそうにコーヒーを飲むシーンが西部劇映画によくある。おそらく出涸らしのコーヒー豆を何度も使っていたのだろうが、西部の荒野に上がる湯気は私には魅力的にみえた。

南北戦争では疲弊した兵士たちを元気づけるために、カフェインの入ったコーヒーを飲ませたという記録もある。カフェインを好むこともあるのだろうが、昔のアメリカ人はまるで水代わりのように、朝から晩までコーヒーを飲んでいた。紅茶を何杯もおかわりする感じだ。だからだろうか。アメリカ人が飲むコーヒーは、香りを楽しむイタリアのエスプレッソなどに比べてはるかに薄味で、カップに注がれる量もかなり多い。

現代アメリカの都市部では日本人好みの香りとコクを楽しむコーヒーショップが存在している。コーヒーがアメリカ革命のきっかけとなり、アメリカの今を形作った。世界各地からの移民で人口が増え続け、三億数千万人を超えたアメリカ人の頭の中に、どれだけその「記憶」が残っているのかはわからない。だが、アメリカでコーヒーといえば日本でいうところのアメリカンであると思っておいたほうがよい。

アメリカの歴史は短い。だから、食文化の世界にも、アメリカンコーヒーのように歴史がそのまま反映している。感謝祭で、なぜ七面鳥を食べて、パンプキンパイを食べるのか。答えは実に簡単だ。本当はチキンを食べたかったが、貧しいアメリカの農家にはニワトリがいなかった。都市部を離れて、ちょっとした田舎にいけば、アメリカの林の中には野生の七面鳥が今でもたくさん生息している。アップルパイではなく、なぜパンプキンパイを食べるのか。リンゴがなくて、北米大陸に自生していたカボチャを代用品にしたからだ。いずれも貧しいアメリカ開拓者たちが食べ、生き延びるための知恵が生んだ。

パンプキンパイについては、昔の南部アメリカ人は複雑な気持ちを持っていた。南北戦争が終わってから、南部ではパンプキンパイが、北部からの侵略者「ヤンキー」のものだと嫌われ、サツマイモを使ったパイを作って食べていたのだという。今でもそう思っている生粋の南部人はいる。

歴史にこだわるアメリカ人の「食べ物の恨みはおそろしい」ことを、アメリカンコーヒーとパンプキンパイが教えてくれている。

ご用心！

女子マラソンを切り拓いた戦士たち

アメリカではその時代を象徴する名称がよくつけられる。時代と言っても、長い歴史をひとくくりにした「時代」ではない。十八世紀後半にでき上がった古くさい政治的枠組みをそのままに、その枠組みを超えて十年単位でアメリカ社会が変化していく。それに名称をつけるのだ。

二十世紀はアメリカが激変していく世紀だった。その中で際立つのが、一九二〇年代のローリング・トゥエンティーズ。あっという間にニューヨークに摩天楼が立ち上がり、新たな近代工業国として繁栄を極めたと思ったら、世界を巻き込む大恐慌を最後には引き起こす。文字通り「狂乱の十年」だった。

今となって思えば、二十一世紀になってもアメリカに大きな影響を与え続けている「シクスティーズ」と呼ばれる時代があった。一九六三年のケネディー大統領暗殺から、一九七四年のウオーターゲート事件によるニクソン大統領辞任ぐらいまでをいう。差別されていた黒人たちが立ち上がった公民権運動は、黒人の選挙権を認めさせ、多くの黒人議員を生み、今に至る。賃金差別にあっていた女性たちが男女平等を求めて活動、フェミニズムの基盤を作る。カルチャーの世界ではヒッピーに象徴されるカウンター・カルチャー（対抗文化）が若者たちのライフスタイルを変えていった。

アメリカ経済がピークを迎え、「シクスティーズ」がぐるぐる回り出したころ、女性アスリートの世界を劇的に変えた事件が起こった。アメリカだけのことではない。世界中の女性の生き方を変えてしまった。小さな事件だった。アメリカの歴史を独立革命に結びつけた「ボストン茶会事件」と呼ばれるゲリラ活動と同じ都市で起こった。

一九六七年四月十九日、ボストンマラソンのスタートが切られると、足首まであるスウェットパンツと長袖のスウェットシャツを着た長いブロンドのランナーが走り出した。周りを複数の短パンの男性ランナーが伴走している。ギリシャのアテネ・オリンピックで、マラソン競技が人類史上初めて行われた翌年の一八九七年四月から行われている歴史あるボストンマラソン。だが、女性の参加は七十年間許されていなかった。

スタートを切った人物は女性だった。名前はキャサリン・スウィッツアー(注)。第二次世界大戦が終わって二年目の一九四七年にドイツで生まれた。当時、アメリカの名門シラキュース大学のクロスカントリーチームで長距離走のトレーニングをやっていた。女性部員は十九歳の彼女ひとりだけ。そのころ、女性がマラソンを走るのは、体力的に無理だといわれていた。

他の陸上競技は女子が参加できるものがほとんどだったのに、なぜ、マラソンという、ある意味で歴史の浅い陸上競技に女性が参加できないのか。キャサリンは納得できなかった。キャサリンがボストンマラソンに挑戦する前年、ロベルタという女性が無登録でゼッケンを

(注) https://www.youtube.com/watch?v=fOGXvBAmTsY&feature=youtu.be

つけずにマラソンコースを完走したが、主催者たちはレースを観戦している歩行者がコースのそばを走っただけとして、その女性が完走したことを認めようとしなかった。

キャサリンはK・V・スウィッツァーという名前をイニシアルにした登録名で参加する。この名前なら性別がわからないと考えたのだ。ゼッケン番号は261。ボーイフレンドや仲間たちも助けてくれることになった。彼女がスタートしてから、間もなくするとこのマラソンの責任者である中年の男性が、背後から近づき、彼女のゼッケンをとろうとして叫んだ。

「わたしのレースから出ていけ!」

二十世紀は映像の時代。その瞬間を映像と写真がしっかりとらえて、残している。のちにキャサリンが語ったところによると、仲間たちと走っていたら、前方の報道用の車両からこの男が降り、待ち受けていたらしい。沿道の観客がなにやら後方を指差していた。彼女もランニングシューズではない革靴のような足音を聞いている。このとき、この男をブロックして危機を救ってくれたのは、ボーイフレンドと仲間たち。そして、コーチのアーニーだった。

キャサリンはシラキュース大学でジャーナリズムを専攻していた。長距離を走ることが好きだった。コーチのアーニーに何度も、マラソンを走りたいと相談していたが、首を縦に振ってもらうことができずにいた。アーニーは普段は大学の郵便配達の仕事をしていたが、ボストンマラソンを一五回完走しているベテランだ。

参加したいという気持ちがどんどん高まる。アーニーは体力のない女性にはマラソンは無理だと何度も繰り返す。十九歳のキャサリンはついに、年齢の離れた五十歳のアーニーにかんしゃくを爆発させた。

「私は毎日、一〇マイル（約一六キロ）も走っているのよ！ ロベルタ・ギブはレースにもぐりこんで、四月にボストンで走ったじゃないの！」

ロベルタとは前年に非公式に参加した、ボストンマラソン初の女性ランナーだった。

「その女性が走ることができたのなら、君も走れるかもしれない。だが、君はそれを私に証明してみせなければならない」

アーニーが、ただのコーチから彼女のトレーニング・パートナーになった瞬間だった。ふたりはマラソンを想定して、キャンパスの外を一緒に走り続けた。

翌年のボストンマラソンの三週間前のことだった。キャサリンはアーニーと二六マイル走った。まだ走れると思い、アーニーにもう五マイル走ることを提案した。アーニーは乗り気ではなかったが、一緒に走ってくれた。走り終わると、アーニーの髪は真っ白になっていた。有頂天になって、キャサリンがアーニーをハグすると、彼の体はすっかり凍えていた。この日はいつものシラキュースらしく雪が降る寒い日だった。

翌日、アーニーが寮にやってきてアドバイスをくれた。正式のランナー登録をして走ったほうがいい。そうしないと、アマチュアスポーツ連盟とまずいことになるという。ルールブックを二人で調べたら、エントリーフォームに性別を書く欄はない。参加費三ドルを払って、彼女は名前の部分はイニシアルで登録した。これで嘘をついたことにはならない……。

大会当日、ゼッケンを奪おうとする大会主催者をボーイフレンドがブロックして止めてくれた。彼はフットボールの選手だった。そのシーンを報道車両はすべて撮影していた。記者の一人は、走る車から「十字軍気取りか？」と嫌な質問をした。キャサリンは、「私は走りたいだけよ！」と叫んだ。キャサリンは仲間たちと、気落ちしながらも走り続けた。苦しかった。でも私が走りきらなければ、女性にはマラソンは無理だといわれてしまう。彼女は走り続けた。四時間二十分でゴール。日はすっかり暮れていた。

ただ走りたかっただけの自分が大変なことをやってしまったと気づいたのは、ボストンから大学に戻る途中のドライブインでコーヒーを飲んだときだった。そこには彼女たちの写真が大きく掲載された新聞がいくつも置かれていた。

彼女はそれから、仲間を募って、何度もボストンを走った。女子がマラソンを走れることを見せて、女子マラソンを正式の陸上競技にするために奔走した。本も書いた。

正式にボストンマラソンへの女性の参加が認められたのは五年後の一九七二年。オリンピックで女子マラソンが採用されたのは、一九八四年のロサンゼルス五輪だった。最後のランナーのアンデルセンが片足を引きずりながら、意識がもうろうとしたまま、ゴールした。なぜあそこまで無理して走りきったのかという質問に、女子長距離走の開催が正しかったことを知らしめたかった、女子が走れないという科学的証拠はないのだからと、のちに語っている。彼女は明らかに、会ったことがないはずのキャサリンの精神を受け継いでいた。二〇一七年四月二十日、キャサリンは七十歳になっていた。歴史を切り開いたボストンマラソンのゲリラ作戦から五十年経っている。キャサリンはこの日もボストンを走った。紺のランニングウェアに紺の短パン。胸には思い出の261のゼッケンが付けられていた。

ゲリマンダーがキャンパスを引き裂いた!

アメリカ建国からしばらくした十九世紀初め、アメリカの政治が形を整え始めると、どこからやってきたのかゲリマンダー(注)と呼ばれる怪獣がアメリカ合衆国に住みつき始めた。ゲリマンダーの寿命は長く、姿形を千変万化で変えていく。だから、生命力が強い。アメリカ合衆国に生息し始めて二百年以上になるが、勢いが衰えることはなく、アメリカ全土に生息域がひろがっている。

あなたはサラマンダーという精霊を知っているだろうか。火、空気、水、土という物質を構成する四大元素の中で火を司る伝説の精霊だ。姿は翼を持つトカゲのような形をしている。

一八一二年のことだった。ナポレオンと戦争をしているイギリスが、アメリカがフランスと交易をすることを軍事的に阻止する動きに出たため、米英間にはいつ戦争が起きてもおか

(注) https://www.ussc.edu.au/analysis/explainer-gerrymandering-and-the-2018-midterm-elections

しくない状況になっていた。だが、アメリカ独立宣言の署名者の一人で、マサチューセッツ州知事のエルブリッジ・ゲリーにとって、自派の政党の議員をどうやったら増やせるかが重要だった。アメリカにはまだ一八州しかなく、全米の人口が七百万人ぐらいの時代のことだ。

エルブリッジ知事は、自分の政党に有利になるように地域の区割りを行った。その区割りに直線部分はなく、支持者が多い地区を、複雑な曲線で囲むような形の選挙区ができあがった。その形はあまりにも奇怪でサラマンダーに似ているために、ボストンの新聞は見出しに「ゲリマンダー」と書いて、その下に奇怪なイラストを掲載した。サラマンダーの頭の部分にゲリーの名前を入れ、ゲリマンダーと命名したわけだ。アメリカでは「ジェリマンダー」と発音している。

時はすぎて二百数十年あまり。アメリカは人口三億三千万人以上の超大国になっていた。だが、政治権力者の頭の中はそれほど進歩していないようだ。州議会だろうが、連邦議会下院議員の選挙だろうが、選挙区の区割りは州政府の権限で可能。その権限を悪用しようとする政治家が次から次へと出てくる。アメリカは貧富の差や、人種の違いで居住する地域が自然と区分けされている。選挙区の区割りひとつで、州で権力を握る政党が圧倒的に有利な結果を生み出すことができるのだ。

二〇一八年の米下院議員と上院議員を選ぶ中間選挙を前に、ノース・カロライナ州の大学のキャンパスに、体形が複雑な曲線で作られるゲリマンダーらしからぬ姿で、四角張ったゲリマンダーが突然現れ、キャンパスを真っ二つに切り裂いた。

一八九一年創設の伝統ある州立の黒人大学、ノース・カロライナ農業技術大学のキャンパスには大勢の学生が居住する寮が点在している。大学院生を含めて一万二千人を超える学生がひとつの地域にまとまって居住しているのは、民主党にとって大票田があるのと同じだ。黒人学生たちの大半は、民主党の支持者で、共和党支持者がいても極めて少数であることは間違いない。投票権も十八歳になればある。大学生だから、当然その年齢になっている。

メインキャンパスの広さは三平方キロもない。縦に長い長方形に近いキャンパスを縦に区切る形でメイン道路がある。その道路の黄色く塗られた中央線を境に、下院選挙の選挙区が一三区と六区に分けられたのだった。このキャンパスは、以前は単一の選挙区で民主党の黒人女性下院議員をいつも選出していた。ところが六区と一三区に分離された後、共和党が全米で大敗した二〇一八年の中間選挙で、いずれの選挙区でも白人の共和党員が当選している。

ノース・カロライナ州はパープルステート、つまり赤の共和党でも、青の民主党でもない、赤と青が入り混じったパープル（紫）の選挙区であるといわれている。ちなみに、共和党をレッド、民主党をブルーと呼ぶのはカラーテレビ放送が始まった七〇年代。実は共和党は青で民主党は赤という区分けで放送するテレビ局もあったが、次第に共和党は赤、民主党は青になって現在に至る。

さて、怪獣ゲリマンダーの話に戻そう。

上院議員選挙は全州一区で定員は六年間で二人。一人の上院議員を三年ごとに選出するので、ゲリマンダーリングはできない。パープルステートではいつもぎりぎりの得票差で上院議員が決まるが、下院議員選挙では、州が細かい小選挙区に分割されるので、ゲリマンダーリングが有効になる。また、選挙区の区割りは固定化されているわけではない。十年ごとの国勢調査の人口数をもとに十年ごとに見直されるから、事実上の二大政党独裁下のアメリカでは重要な意味を持っている。

選挙区を自分たちに有利なようにする、ある意味の不正選挙操作をやっているのは、共和党だけではない。民主党が州議会を支配している州では同じようなことが起きている。民主党が圧倒的に優勢なメリーランド州、どちらかというと共和党が優勢なノース・カロライナ州では、それぞれの住民団体から連邦裁判所にゲリマンダーリングは合衆国憲法違反であるとの訴訟が起こされた。

これらの訴訟に対して、アメリカ合衆国最高裁判所は驚くべき判断を二〇一六年六月に下した。五対四の評決だった。ざっくばらんにいうと、「そんなことは、われわれは知らないよ。自分たちで決めてよ」と言ったのに等しい内容だ。

アメリカの選挙制度は不備があるという指摘は諸外国からある。議会制民主主義を支えるものは、投票される一票、一票が民意をどこまで反映するのかということが基本だ。民主主義の守護者を任じるアメリカはどうなのだろうか。アメリカが非難する「中国型民主主義」

があるように、「アメリカ型民主主義」があると思っているのだろう。

米国内でも選挙制度の改革を求める運動の具体的な標的はゲリマンダーリングだ。だが、国家の基本を定める憲法を判断する連邦最高裁は、簡単にいうと選挙区の区割りを決めるのは州であって、連邦裁判所の判断することでないと、ある意味でゲリマンダーリングを容認したのだった。これが各州（アメリカ連邦加盟の各国）の議会選挙であれば、まだ納得できる。しかし、問題になっているのはアメリカ合衆国という連邦議会の議員選出に関わる問題のはずだ。実はこれが民主主義の守護者を標榜するアメリカの実態だ。

二車線の車道を隔てた地区が、なぜ六区と一三区になっているのか。六区の隣の七区でないとしてせめて一〇区以内なら、あり得るかとも思える。ゲリマンダーリングに象徴されるアメリカ型民主主義は意外と脆弱ではないのだろうか。

二〇〇〇年の大統領選挙を思い出す。ブッシュ元大統領の息子のブッシュとクリントン政権の副大統領だったゴアが闘って、大混乱の中、ブッシュ・ジュニアが勝った時のことだ。アメリカ全土で開票が進む中で、フロリダ州の二五人の大統領選挙人を獲得するかどうかで、どの候補が大統領に当選するかが決まる情勢となった。

アメリカの大統領選挙は、全国で一番投票を獲得した候補が、大統領に当選するわけではない。アメリカ建国時代にまだ庶民の民度があまり高くないこと、全国的な投票の集計が物理的にむずかしいことを前提に、大統領選挙人を選ぶという変則的な間接選挙だった。選ばれた大統領選挙人が、遠路はるばる首都ワシントンにやってきて実際に投票をするわけだ。現在でも形式的にこの投票は行われている。

さて、ゴア対ブッシュの大統領選では、すでに手書きの記名式の投票は行われていない。コンピューターの時代になった。だが、各州、各郡で使用されるコンピューターは違っていた。投票方式も投票用紙に候補者の氏名を記載する方式を完全にやめ、バタフライ方式というパンチカード式の投票方法を、フロリダ州の一部では採用していた。この方式ではパンチカードに穴がうまく開かずに、読み取り機が判断できないケースがかなり出ていた。得票差が約千七百票といわれているので、〇・五パーセント未満であることから、大混乱の中、六百万票を超す投票用紙の再集計が行われた。フロリダ州の開票結果は、再集計でその差は千票あまりに縮小したが、ブッシュの優勢と共和党が支配する州の判断は変わらなかった。ゴア陣営は民主党員の多い郡で手作業の再集計を求めたが、最終的に認められずに、州務長官が五三七票差でブッシュ勝利を公式に認定した。

当時、パンチカードの穴を二人がかりで確認する写真が、世界に配信されたのを覚えているだろうか。そのころ、ロシアのプーチン大統領はアメリカ政府に対し、ロシアは開票作業なら得意なので、ロシアから選挙監視団を送ろうかと皮肉交じりに言っている。選挙に不慣れな発展途上国に国連などから選挙監視団を送ることはしばしば行われていたからだ。

実はこの選挙で、全国有権者の総得票数ではゴアが五十万票以上多いのがのちにわかる。

得票率では〇・五パーセントの勝利だが、獲得大統領選挙人はブッシュ二七一人に対し、ゴア二六六人で、ゴアが負けている。よく考えると、五三七人の投票が、五十万人以上の投票を打ち負かしたことになる。三倍を違憲とする日本の一票の価値の格差どころの話ではない。トランプとヒラリー・クリントンの二〇一六年選挙では、ヒラリーが数百万票多い得票数を獲得しているが負けた。

アメリカの大統領選挙を直接投票総数で決めるべきだという動きはある。だが、ゲリマンダーという妖怪が生き続けてきたように、民主主義後進国アメリカが、それを実現する可能性はほとんどない。

冤罪で獄中三十年はよくある話

インターネットで見ているビデオ映像は、ひとりの知的なあごひげをはやした黒人男性が建物から出てくるシーンから始まる。薄いブルーのシャツにジャケット。ネクタイはしていない。男性の頭と髭には白いものが目立つ。後ろに背広にネクタイ姿の男性が付き添っている。玄関を出て、何歩か歩いたところで男性は会いたかった親族と知り合いに抱きついた。玄関を出てわずか数秒ぐらいだったが、その数秒を歩くために、この男性は三十年近くの月日を刑務所で過ごした。それも死刑囚用の独房で。

ガラス越しに会いに来てくれた人たちを、今は抱きしめることができる。

太陽は今も輝いている……。

男性は太陽が見えないその日の曇り空を見上げて心の中でつぶやいた。希望を失わなかった自分をほめたのだろう。二〇一五年四月三日、金曜日の朝のことだった。だが、その場には彼の無実を信じて、遠くの刑務所まで毎月会いに来てくれた母親の姿はない。十年以上前に神に召されていた。

釈放された死刑囚の名前はアンソニー・レイ・ヒントンさん、五十八歳。二十九歳のときに、突然、三件の強盗殺人事件の容疑者として逮捕されてから、三十年近くが経っていた。

一九八五年二月と七月初めに、アラバマ州最大の都市、バーミングハムの二軒のファーストフードショップで、店主が銃で射殺される強盗事件があった。遺体に残された銃弾以外に、指紋などの犯人につながる証拠はまったくなかった。同じ市内で、七月最後の週に別の店で同様の事件が起こった。だが、店主は銃弾を受けたものの、死ななかった。

警察が密かに動いた。容疑者と思われる人物の写真を複数、撃たれた店主に見せた。犯人はこの人物だとの証言をもとに、捜査を進め、ヒントンさんを母親と住む自宅で逮捕。母親が自宅に持っていた45口径のリボルバー拳銃をそのときに押収し、のちに三件の事件で使用された弾丸はこの拳銃から発射されたと断定した。三件の事件で銃弾の弾道検査が行われていた。だが、信じられないことにヒントンさんの母親から押収された銃の弾道検査はほとんど行われていないに等しかった。捜査当局がヒントンさんの写真をどのようにして手に入れたのかは、わかっていない。ヒントンさんに犯罪歴はなかった。

ヒントンさんはスーパーの倉庫での作業でなんとか金を稼ぎながら、母親と一緒に街から離れた林の中の小さな家に住んでいた。自分のお金で弁護士を雇う余裕はない。公選弁護人が弁護にあたることになった。

三十年前も今も、銃が氾濫し、ディープサウスでの黒人差別が根付くアメリカの現状は変わっていない。この程度の強盗殺人事件は大した事件ではないと公選弁護人は思っていたのか、あるいは陪審員から無罪評決を受けられないと思ったのかわからないが、無実を訴えるヒントンさんに対して、まるで彼が犯行をやったと思っているような黒人差別的な言動を繰り返していた。焦点になっている犯行現場で見つかった複数の弾道検査を追及するために専門家を雇う費用をヒントンさんが支払えないだろうと推測して、弁護のために弾道検査に素人の民間技術者を雇っただけだった。当然、無罪を補強する新証拠を生み出すことはできなかった。

現代の裁判では、物証とアリバイが重要だ。ヒントンさんが三件目の事件当時、スーパーの倉庫で働いていたと、経営者が明確に証言した。つまり彼の写真を見せられて犯人とした店主の証言があり得ないことを証明している。働いていたスーパーと犯行現場はかなり離れていた。ちょっとの時間で行って帰ってくることができる距離ではない。だが、有罪評決を下した陪審員たちは、その証言を無視した。

三カ所での犯行を行ったのがヒントンさんだという証拠は、現場で押収された弾丸が同じ銃から発射されたものという鑑定結果しかなかった。現場で採取された指紋のどれもが、ヒントンさんの指紋ではなかった。うそ発見器にも、彼が虚偽を述べている反応はなかった。

ヒントンさんは州の裁判所で無実を訴え続けたが、死刑を宣告された。しかし、ヒントンさんは絶望していなかった。そして、人を憎むことはしないと決意していた。刑務所で本を読み始め、死刑囚仲間と読書クラブを創設した。法律の勉強も始めていた。読書クラブの仲間たちが、一人去り、二人去りしていき、ヒントンさんだけが残ってしまったころだった。アラバマ州で正義の公正性を訴えている市民団体「司法の公正構想」（ＥＪＩ＝Equal Justice Initiative）が無罪を訴え続けているヒントンさんに援助の手を差しのべた。死刑囚として刑務所に収監されてから十年近く経っていた。老齢を押して、刑務所に毎月、面会に来てくれる母の精神的支えだけではない、強い味方が現れた。

ＥＪＩはヒントンさんの死刑執行を阻止するため、裁判の過程で明らかになったことを厳密に調べ始めた。三人の犯罪捜査の専門家から、事件現場で押収された弾丸はヒントンさんの母親の拳銃から発射されたものではないことを明らかにしていった。だが、州の裁判所はヒントンさんの刑の停止と、再審を行うことを拒否していた。連邦最高裁に憲法違反で訴えるしかない。

それから十六年かかった。ヒントンさんの死刑判決を、連邦最高裁は州の裁判所に差し戻した。その理由は裁判の担当を指名された公選弁護人が連邦法上、不適切な弁護人だったというものだった。わかるようでわからない理由だが、新たに弁護を始めた市民団体の弁護側の証人で元ＦＢＩの高官らが三件の事件で発射された弾丸が同じ銃から発射された可能性はなく、それ以上にヒントンさんを目撃したといった三件目の事件で発射された弾丸は母親の所有していた銃からである可能性はないとの証言が決定的だった。

州裁判所が有罪の根拠としていた証拠は完全に覆された。二〇一四年四月一日の連邦最高裁決定はエイプリールフールとは関係なかった。それから一年と一日後、アラバマ州ジェファーソン郡の裁判所は裁判の取り下げを行った。その翌日、ヒントンさんは死刑囚の独房を永遠に出た。

ここで話は冒頭の場面に戻る。市民団体は釈放のプレスリリースを報道機関に配っていた。アメリカ三大ネットワークの一つ、ＡＢＣテレビも取材に来ていた。取材者は、後日ヒントンさんが支援者たちの待つパーティー会場に向かう車に同乗して取材を続ける。興味深いシーンがいくつかある。ヒントンさんはＡＴＭ（現金自動支払機）を見てなんだかわからなかった。当然だが、彼はＡＴＭの利用の仕方を知らない。三十年前にパソコンはあったが、インターネット社会はまだまだだった。インスタグラムに発信された自分の写真を見て、彼は思わず苦笑いをした。

だが、小雨の中、支援者たちが待ち受けるパーティー会場の入るときに、車を降りて、ヒントンさんがリポーターに発した言葉はあまりにも重い。

「三十年間、私は雨にうたれたことがなかった」

死刑囚は死刑にされるまで、生かされる。病気になれば治療を受ける。手術が必要になれば、手術も受ける。健康には日光が必要なので、太陽にあたる機会は狭い屋外のスペースで与えられる。だが、風邪でも引かれては困るので、雨が降る中、屋外に立つ機会は死ぬまで与えられない。

車から降りて、この言葉を発するヒントンさんの映像を見た。ジャケットにネクタイ姿の彼に降りかかる雨は見えない。ポツリ、ポツリと降る雨なのだろう。だが、手を広げて雨の存在を確認する彼は、自分が本当に自由の身になったことを感じたはずだ。だが、後にベストセラーとなる本を出版した彼ほど、文学的には表現できなくとも、冤罪から釈放された多くの死刑囚の気持ちを彼は一言で表現している。

日本にも多くの冤罪事件がある。拷問に近い長時間の取り調べにより真実でない自白を引き出し、有罪に結びつけられた事件が大半だ。ある程度の状況証拠はあるが、自白が有罪の決め手となっている。自白の信ぴょう性がなくなったときに、冤罪だったとして釈放される場合が多い。冤罪とわかり、釈放された死刑囚もいる。冤罪を疑われながら、死刑になった人もいる。冤罪の可能性を指摘されながら、獄中で死去した人もいる。人の命の尊さは数の多い少ないで評価できるものではない。だが、死刑判決を受けた日本の冤罪事件の数はアメリカと比較すると、比較にならないほど少ない。

ヒントンさん釈放後にメール配信された死刑廃止団体のプレスリリースに、驚くべき数字が書かれている。一九七三年以来、冤罪で釈放された死刑囚としてヒントンさんは二〇一五年現在で一五二番目だというのだ。さらに同団体のウェブサイトを見ていくと、アメリカでは死刑囚の約一〇人に一人が冤罪で釈放されている。

では、無実の人の人生を奪う獄中三十年は珍しいことなのだろうか。無期懲役という刑罰はアメリカにはない。死ぬまで獄中にいる仮釈放なしの終身刑はある。だから、獄中三十年は当たり前に起きている。

ヒントンさんが自由の身になった二〇一五年に、殺人罪で三十年以上服役していた女性が無罪となって釈放された。殺人現場にあったタバコの吸い殻のＤＮＡ検査で犯人でないことがわかったためだ。その前の年には、強盗殺人で死刑判決を受け、後に減刑され終身刑で服役していた男性が釈放された。十八歳で逮捕されてから、三十九年以上獄中で過ごしていた。

二〇一七年には、三十九年間獄中で過ごした男性が、無実とわかった。ＤＮＡ検査が決め手だった。カリフォルニア州知事が恩赦で釈放。二〇一九年に賠償を求めた訴訟を起こし、二千百万ドルの賠償を受けたという記事が国内外で大きく報道された。

大統領選挙を控えた二〇一九年十一月、首都ワシントンから車で一時間ほどのメリーランド州ボルチモアで、三人の男性が無実となり釈放された。十六歳で収監され、三十六年間を獄中で過ごした。真犯人らしき人物を目撃したとの事実は無視され、三人を犯人にでっちあげることを警察が目指したことが公的文書で明らかになったからだ。そのために警察は他の少年たちに偽証をさせている。犯人にでっちあげられた少年のひとり、アルフレッド・チェスナンさんが市民団体の助けを借りて、それまで隠されていた警察内部の文書を明らかにさせた成果だった。だが、十六歳の少年が失った三十六年間はあまりにも長い。

アメリカでは冤罪事件で釈放される無実の人が跡を絶たない。ユーチューブには「獄中での長さのベスト10」という番組があるほどだ。

アメリカの司法の歴史は冤罪と誤審の歴史といってもいい。明確な無罪を有罪とし、明確な有罪を無罪とする歴史だ。一九二〇年代のサッコ&バンゼッティ事件、一九九一年のロサンゼルス暴動を引き起こしたロドニー・キングさん暴行事件などが有名だ。

二〇一六年の統計で、アメリカには二二九万八三〇〇人の人間が、なんらかの形で監獄に入っている。アメリカは、老人から赤ん坊まで含めた全人口の実に〇・七パーセントが囚人の国だ。この数字は囚人が百万人台の中華人民共和国を超えて世界一で、約千百万人いるといわれる世界の囚人の二割近くがアメリカに収容されている。

人を殺しても逮捕されない大統領の特権

世界最高の権力者アメリカ大統領の権限は絶大だと思っている日本人は多い。だが、クイズ番組で質問されて、「イエス」と答えたら、間違いなく「ブー」とブザーがなる。

アメリカ合衆国大統領には法案への拒否権はあるが、立法権がない。また、議会の解散権もない。裁判官や最高裁判事の任命権はあるが、大統領が指名した人物は上院での承認がいる。

アメリカ大統領というけれど、正確にはアメリカ合衆国（合州国）という連邦国家の行政府の最高責任者でしかない。五〇あるステート（国）には州知事という行政の長がいて、ステートには議会も、司法の世界では最高裁まである。

あえて最高権力者を象徴する地位をあげれば、予備役、沿岸警備隊を含めて百数十万人の米軍を指揮できる「最高軍司令官」だ。各州（各国）にはナショナル・ガードという「州兵」がいる。州兵というが歩兵ばかりではない。空軍まで持っている。その指揮権も大統領は持つ。世界の誰もが持たない唯一の最高権力といえるのは、世界の核兵器の半分を占める「戦略核兵器」使用の最終使用権限を持っていることだろう。俗に「核の発射ボタン」を持つという。

アメリカの初代大統領ジョージ・ワシントン将軍はアメリカ革命軍の総司令官ではあったが、イギリスからの独立という形で革命戦争に勝利してからは、象徴的な存在ではあっても、行政的な権限はあまりなかった。独立を果たした一三州の一部からは、ジョージ・ワシントンを新たな「キング（王）」と呼ぼうという動きもあった。ある意味で神輿《みこし》に乗せてしまえば、自分たちのやりたいことができると考えたのだろうか。

建国二百四十年以上になって、領土の拡大とともにアメリカ連邦政府の権限と自由にできる予算は増大、それに伴って大統領の権限もある意味では絶大なものになっていった。

実はアメリカ大統領には、司法、立法の介入から地位を守ることができるとんでもない特権が、曖昧な形だが憲法で保証されている。あり得ない極端な仮定の話をして説明しよう。

二〇××年の某月某日、ここはホワイトハウスのオーバル・ルーム。病的ナルシズムが進行した某大統領が、突然激高。彼を警護している隣室にいたシークレットサービスから拳銃を奪って、副大統領を射殺してしまった。当然だがこんな事件を隠しておけるはずはない。全世界のメディアが大きく取り上げた。某大統領はそれからどうなったのだろうか……。

ここでクイズを出す。射撃を続けようとした大統領が、その場でシークレットサービスに射殺されなかったことを前提にしている。

解答1　シークレットサービスが、大統領をすぐに逮捕した。
解答2　同席の司法長官がワシントン市警に連絡。駆けつけた警察官が、大統領を逮捕、手錠をかけ、留置所に連行した。
解答3　シークレットサービスが大統領執務室に連れていき軟禁。大統領を落ち着かせるためにマックのハンバーガーとポテトフライがコーラ付きで運び込まれた。

今まで起きたことがないし、また起きる可能性も多分ないだろうから、ためらいながら、自分で出したクイズに、自分で解答する。「半分ぐらい正解」がひとつだけあると思う。ナンバー3だ。残りのふたつは完全に間違い。「在任中」、アメリカ大統領は誰にも逮捕されることがない。犯した犯罪がたとえ殺人であっても、信じられないだろうが逮捕されない。誰が逮捕するかは問題ではない。現行犯であっても逮捕されないのだ。

「大統領が殺人を犯したら、逮捕されるか?」を英語で検索してみたら、出てくる、出てくる。イェール大学の長文の論文から、新聞記事まである。結論からいうと、どうも憲法の規定上、あるいは想定上、「大統領」は「逮捕」できないらしい。「できない」と断定している主張は見当たらない。要するに、逮捕しないことになっているようなのだ。

建国以来、四五人の大統領のうち、四人が暗殺されている。リンカーン大統領が最初の犠牲者で、ケネディーが四人目。それ以後も、レーガン大統領の暗殺未遂事件がある。当たり前だが大統領が直接手を下して、人を殺したことは歴史上ない。

逮捕されるはずのない大統領が、逮捕されたことが歴史上一度だけ記録されている。ワシトンポストが、「憲法上のミステリー　アメリカ大統領は訴追されるのだろうか、逮捕されるのだろうか、手錠をかけられるだろうか」という書き出しで、二〇一八年十二月におもしろい記事を出した。

南北戦争を勝利させた英雄グラント将軍が大統領になってからの話。時は一八七二年、日本では明治四年のことだった。グラントは今でいうところのスピード狂で、二頭立ての馬車を自分で飛ばすのが趣味。彼が今生きていれば、イタリアから輸入したマセラティを運転していたかもしれないが、世界のモータリゼーションをスタートさせたT型フォードのデビューまでには、まだ時間がかなり必要だった。

首都ワシントンのメインストリートを友人たちと飛ばしているところを警察官に呼び止められた。馬車に母子がはねられ、重傷を負ったという苦情が警察署にあり、黒人のウエスト巡査が捜査に派遣されていたのだった。グラント大統領たちは犯人ではなかったが、巡査は大きく手を広げて、スピード狂集団を止めた。もちろん、巡査はその集団に大統領がいることを知らない。ウエスト巡査にグラント大統領は、「君は私になにをさせたいのかね？」と聞いたという。この話は、だいぶ時間が経ってから、地元のワシントン・イブニング・スター紙が掲載した記事から引用されている。

ウエスト巡査は、大統領にスピードの出し過ぎで法律違反。他の人への悪例を作ることになると伝えたという。大統領は謝罪して、もう二度とやりませんと殊勝な態度を見せたらしい。だが翌日の夜のことだった。グラントは再び、同じ場所で馬車を仲間と飛ばしていると、ウエスト巡査に馬車を止めさせられた。あまりにスピードを出していたために、馬車が止まるまで一ブロック（約三〇メートル）の距離が必要だった。馬車から降りてきたグラント大統領は薄笑いを浮かべながら、悪いことをして、先生にまたつかまった悪ガキのような表情をしていたと記事にはある。

グラントは聞いた。「私はスピード違反したと思うかね？」。スピード計測器などない時代だ。ウエスト巡査は答えた。

「その通りです。大統領。あなたは国のチーフで、私はただの警官です。でも、職務は職務です。あなたを逮捕します」

大統領と仲間たちは、そのまま警察署に連れていかれ、保釈金を一人二〇ドルずつ渡して、釈放された。現在の価値に換算すると一人あたり四〇〇ドルを超える額だ。安くはない。裁判は翌日だった。裁判には、三二人の着飾った女性たちが証人として出廷、口々にスピード出しすぎの危険性に非難の声を上げたという。判事は大統領を除いたスピード狂仲間全員に重い罰金を科した。大統領は出廷しなかった。出廷しなかった理由について記事はふれていない。

どこか人間の温もりが感じられる話だが、なぜ昔の新聞記事をワシントンポスト紙が取り上げたのだろうか。その理由には温もりはない。それはトランプ大統領がロシア政府と共謀して、二〇一六年大統領選挙への介入を行ったのではないかといういわゆるロシア疑惑で、モラー特別検察官の捜査があまりにもドロドロしたものになったからに違いない。もし、大統領が単純な殺人よりも、国家に害がある犯罪をやったとするとどうなるのかが問題になってきていたからだ。モラー検察官の報告書は発表され、選挙共謀疑惑について、大統領は関係していない。捜査妨害の疑いはあるが、司法省の方針として現職の大統領を訴追することはないとした。

捜査の過程で、トランプ陣営とロシア側から何人も逮捕者がでて、かつてのトランプのお抱え弁護士も刑務所に入っている。だが、トランプは大統領特権に守られて無傷だった。日本でも国会議員には国会開会中の不逮捕特権があるが、刑法の適用を受けないのは、天皇と摂政以外には存在しない。天皇は刑法の枠外の存在だ。

話を架空の大統領による殺人事件に戻そう。大統領を逮捕、訴追することが一般的な法律ではできないのであれば、どうするのか。

下院が弾劾手続きを行い、下院が検察官の役割を果たす。弾劾が下院の単純過半数で可決されたら、一般市民が訴追されたのと同じことになる。その後は上院が弾劾裁判の場になり、上院議員たちが一般法廷での陪審員の役割を担う。裁判官は連邦最高裁の長官が務める。上院議員の三分の二の賛成で弾劾裁判が通れば、大統領は辞めるが、アメリカの政治史上、大統領が弾劾されたのはトランプ大統領を含めて三人だけで、弾劾裁判が可決されたことはない。奇妙な三権分立の中でアメリカ政治は時に立ち止まってしまう、世界にも例をみない不完全さを持っている。

大統領を排除する方法は実はもうひとつある。憲法二五条にあるように大統領が職務不能に陥った場合に、副大統領が全閣僚を集めた会議で大統領の解職を決めるのだ。ホワイトハウス内のクーデターの一方法といっていい。実はトランプ政権ができた二〇一七年の夏に、そのようなことをペンス副大統領らがやろうとしたという記事が二〇一九年に流れたが、ペンス副大統領を含め、関係していると思われた人物は全員メディアに対して、「私はやっていない」と否定した。

今回想定した「大統領による殺人事件」では副大統領が殺されているので、この方法は取れない。実際の殺人ではないが、ウオーターゲート事件で大統領を自ら辞任したニクソン大統領が、「土曜日の夜の虐殺」という政治的殺人事件を起こしている。ニクソンは自らに迫る司法当局の捜査を逃れるために、特別検察官の解任を司法長官と司法副長官に命じたが拒否され、二人を辞職に追い込む。だが、司法と立法を無視して「大統領特権」を振りかざすニクソンは与党共和党の支持も失い、大統領弾劾で負けることが間違いない情勢の中で、大統領を自ら辞めた。

ニクソンが大統領を辞めたころ、トランプは二十代のはつらつとしたハンサムな青年だった。その青年が七十歳を超える大統領なって、同じようなことがアメリカでは起こった。しかし、トランプはロシアゲート、ウクライナゲートで大統領特権を振りかざし、上院の大統領弾劾裁判でまんまと逃げのびたのだ。

アメリカが大混乱に陥る気配が見える中で、ニューヨークの連邦地裁がアメリカの矛盾をズバリついた判決を出した。ニューヨーク州司法当局が召喚状を出していたトランプ大統領の納税確定申告および財務報告を、トランプ大統領は、自分にはあらゆる犯罪捜査から免責される特権があると拒否していたことに対して、その主張を否定する衝撃的な判断を下したのだ。また、米連邦司法省が「大統領在職中は、大統領を訴追することはできない、すなわち犯罪行為を取り締まることはできない」とする主張を、真っ向から否定している。犯罪行為訴追から完全な免責が大統領にはあるとするトランプの主張は、政府の構造と憲法に完全に矛盾すると、七二ページの判決文中に書いた。

トランプはすぐに、マンハッタンの連邦巡回裁判所に抗告。三人の裁判官の前で、トランプの弁護士がとんでもないことを言った。裁判長はトランプが二〇一六年の選挙運動中に、「私が五番街で誰かを撃っても、支持者は逃げていかない」と述べたことについてどう思うのかという質問すると、やり取りの中で、もし現職の大統領が五番街で人を撃って殺しても、大統領は完全に免責になると弁護士は主張したのだった。もちろん裁判長はその主張を認めない。トランプの私的弁護士が、トランプの意向を受けて発言していることは、トランプ大統領が自分は法を超越した存在だと確信していることを示している。

大統領が控訴審で敗訴することは確実で、連邦最高裁まで判断を持っていくことは間違いない。保守派に有利な最高裁判事の人選をトランプ大統領は進めたのでトランプには有利だ。連邦最高裁でどのような判決が下されるかで、アメリカ民主主義の質がわかる。

もし同じようなことが日本で起きていたとしても、ずっと前に内閣総辞職か、解散総選挙が行われていただろう。ロッキード事件で逮捕され、検察官の前で辞表を書いた田中角栄元首相の潔さをトランプに求めるのは無理にしても、アメリカの不完全な三権分立は今回の事件で明確になっている。

アメリカという国はまだまだ、政治的には後進国だ。その後進国が世界第一の軍隊を持ち世界経済を支配している。

政治任用という名の贈収賄

二〇一九年九月、史上最大級のハリケーン・ドリアンが、さらに勢力を増しながらアメリカ東海岸に近づいていた。老人ドナルドは、ハリケーンはだいぶ遠くにあるから大丈夫と思い、自分の所有するニュージャージー州のゴルフ場でゴルフを楽しんだ。ただ、ドリアンの進路にあるフロリダ州の別邸「マル・アラーゴ」や、宿泊施設を完備したドラル・ゴルフリゾートに被害がでないのかが心配だった。連邦政府の海洋大気局が出す進路情報には注意を払っていた。

ドラル・ゴルフリゾートに被害がでるのはとても困ると、ドナルドは思っていた。なぜなら二〇二〇年のサミットを、そこでやりたいということを、各国首脳にすでに伝えているからだ。開催時期も同じハリケーンのシーズン。ニュースメディアがおもしろおかしく報道している。多くのアメリカ人の生死に影響するハリケーンが近づいていても、ドナルドという老人には自分のことしか考えられない。このところ、妄想かと思わせるような発言が続いていた。一般人ではないから、彼の失言も放言も発言したままに記録されているからはっきりわかるのだ。

すでにわかっていると思うが、ドナルドとは、第四五代アメリカ合衆国大統領ドナルド・トランプのことだ。トランプは何を思ったのか、アラバマ州にもハリケーンがやってくる可能性があるとツィートした。九月一日の日曜日だった。カリブ海からアラバマ州にハリケーンがやってくるには、フロリダ州を横断しなければならない。それが理由でアラバマ州にハリケーンがやってくるのに関心があったのか？

トランプのツィートを見た地元アラバマ州の気象予報官はあわてた。州民にいらぬ心配をかければ、避難する車列で道路が渋滞するなどの混乱を招く。予報官はすぐにツィートで、トランプの発言を否定した。なにしろ、トランプのツィートは全米で、約六千万人のフォロワーがいる。新聞は読まないが、トランプのツィートには眼を通す、保守的なアラバマ州民は多数いる。

トランプは自分の言ったことが否定されると、怒りを爆発させ、自己正当化に走る。誤りを認めないどころか、謝ることもしない。大統領に就任以来、そんなことの繰り返しだった。

そのトランプが、誰が見てもわかる、明々白々のとんでもないミスを犯した。それも、すべてが録画されている。放言だけではない。報道された映像には海洋大気庁がすでに発表していたハリケーンの進路図を見せるトランプが写っていた。(注) 大統領執務室で自分のツィートの正しさを示そうと、記者を集めたのだった。

よく見ると、赤い太い線で描かれた進路図の先に、なにか黒いマーカーペンで書かれた小さい楕円形が半分ある。手書きのようで、よく見ると、一部の線がゆがんでいる。その黒い半円形の尖端はわずかだが、アラバマ州の北東の端にかかっている。トランプは何日か前にハリケーンの進路予想をツィートした時に、アラバマ州も危ないから気をつけろというようなことを書いた。だが、バハマ諸島に甚大な被害をもたらしながら、停滞を続けるハリケーン・ドリアンがアラバマ州に来る可能性はゼロだった。

この事件は黒い楕円を描いたと思われるマーカーの商品名シャーピーから、シャーピー・

(注) https://www.npr.org/2019/09/04/757586936/trump-displays-altered-map-of-hurricane-dorians-path-to-include-alabama

ゲート事件とメディアは皮肉を込めて報道した。シャーピーはトランプがよく使う文房具だということは、ホワイトハウス担当記者は誰もが知っていたのだ。

誰がその黒丸を書いたのかとの質問に、トランプは横柄に「おれは知らない。おれは知らない」を繰り返した。ホワイトハウスのスタッフに聞いても、答えがなかった。

トランプは「自分が正しかった」と一週間以上言い続けた。彼が王様気取りの最高権力者であっても、「裸の王様」、「王様の耳はロバの耳」と陰口を叩かれるだけで済んだかもしれない。しかし、事態はアメリカ政治の醜い伝統を明らかにする方向に進んだ。醜い伝統の名称を、ポリティカル・アポインティーの採用、またの名をスポイルズ・システムという。

以下、日本の時事通信が転電した記事を引用する。

「米紙ニューヨーク・タイムズ（電子版）は9日、ロス商務長官が海洋大気庁（NOAA）幹部に対し、『ハリケーンが南部アラバマ州を通過する恐れがある』としたトランプ大統領の主張と矛盾する気象予報の撤回を迫ったと報じた。応じなければ更迭すると圧力をかけた」

ロス商務長官が直接、トランプからの命令を受けたどうかはわからない。トランプは記者の質問に、「やっていない」、「やっていない」を繰り返した。だが、トランプ大統領のツィートはその時点で間違ってはいなかったという趣旨の声明を、海洋大気庁が出した。トランプが、間違った進路予想のツィートをだして、十日近く経っていた。世界の民主主義の守護神を自称する二十一世紀のアメリカで、小役人たちが悪代官ににじり寄る日本の江戸時代のようなことがあったことにはびっくりする。

この事件は、非常識な言動を繰り返すトランプだから、起きたわけではない。誰が大統領であろうと、アメリカではシステム的にあり得る。アメリカの政治形態に関わる大事な問題が、記事の最後に入れられた「政治任用の幹部ら」という言葉にずばり現れている。「政治任用」された人たちを、「政治任用」した人物はいつでも首を切れるのだ。だから、今回のような事件が起きた。

科学的根拠に基づく気象情報を改ざんしたとして、すぐに気象学者をはじめ、批判の声が高まった。海洋大気庁を管轄するロス商務長官が辞任に追い込まれたのが、せめてもの救いだ。ロス商務長官はトランプのポリティカル・アポインティーだが、就任するには米上院の裁可が必要だ。アメリカを含め、英語圏のメディアは「政治任用」にポリティカル・アポインティーという言葉をあてている。意訳すれば、「政治的理由で指名した」となる。では、「政治任用した人物たち」を雇用する、「スポイルズ・システム」はどうか。日本では「猟官制」といわれるが、「役に立たないダメなシステム」あるいは、「腐敗したシステム」とでも訳せるだろう。「スポイルズ・システム」の「反対語」は「メリット・システム」。「役に立つ人材」を雇用するシステムということだ。

「スポイルズ・システム」という言葉は、一八二八年、ジャクソン大統領当選の年に造語された。ジャクソン当選を支援した支持者たちに、連邦政府の役職をばらまいたことからできた。アメリカでは選挙は役職を得るための猟官運動。ざっくばらんにいうと、支援運動であれ、選挙資金の援助であれ、法的には処罰されないが、大規模な連邦政府の役職をやり取りする贈収賄だと思えばいい。大統領の選挙運動を手伝ったのに、連邦政府から大使の仕事をもらえなかったと思い込んだ男が、ガーフィールド第二〇代大統領を暗殺するということまで起きている。その後、あまりにも素人ばかりでは行政がうまくいかなくなったので、いくつかの法案が通り、近代社会では当たり前の「メリット・システム」がある程度できた。

しかし、アメリカ政治では、「ポリティカル・アポインティー」の世界が今も生き続けている。連邦政府だけでも、約四千人の人間が仕事を得ている。そのため、大統領が変わるたびに、首都ワシントンと周辺地域ではいい条件の住居を求めての争奪戦が展開される。逆に大統領が任期を終えると、その四千人近くの人と家族たちが、水が引くように去っていく。故郷に戻るか、新しい仕事を見つけてどこかに行くのだ。

何か遠くの星の世界のことのように思えるだろうが、日本の身近にもこのシステムは生きている。オバマ大統領時代に、キャロライン・ケネディーという女性が日本の大使になった。トランプ政権ではウィリアム・ハガティという男性が大使になった。ふたりに共通しているのは外交経験が皆無であること、そしてふたりとも自分を大使に指名してくれた大統領当選のために、支援ばかりでなく、多額の献金をしていることだ。

キャロラインは大使を辞めると、民間団体の役員になった。ハガティは大統領選挙の年の上院議員選挙に立候補をするために大使を辞任して帰国した。ふたりが、日米の外交のために何かを成し遂げたのか、それともスポイルズ・システムとしての役割をエンジョイしたのかどうかは、本人たちに聞いてみないとわからない。

神の賜りものの鼓動が聴こえる

二〇一九年五月、アラバマ州の州都モンゴメリーの州知事執務室。白いブラウスに真っ赤なジャケットを着た女性が、だまってひとりで書類に署名していた。銀髪のヘアーが年齢を感じさせる。州庁舎の外では、陽光に照らされて揺れるプラカードの後ろから、若い女性たちが、声を上げていた。

「産む、産まないは女性の自由な権利！」

「私の子宮は私のものだ！」

署名をしている女性に外のシュプレヒコールが聞こえていたかどうかはわからない。ただ、超保守的な南部の州で知事を務めるケイ・アイビーは、署名している法律が、アラバマ州に住む女性たちに長期間にわたって、彼女たちが望まない大きな影響を与えることは知っていた。だが、州議会で可決された法案に彼女が署名しない限り、神の崇高な意思は実現しないのだ。今署名している法案が、アメリカの連邦最高裁が憲法違反としていることも知っている。一九七三年にテキサス州の女性が、州を相手に「中絶」の権利を認めよと訴えていたことに、連邦最高裁は中絶するかしないかの決定は女性がすることで、政府は介入すべきでないとの判断をすでに下していた。

全米一厳しい中絶禁止法案と呼ばれるアラバマ州のこの法律は、妊娠何週間目かを問わず、母体に生命の危険がない限り、中絶手術を全面的に禁止するものだった。アラバマ州議会上院では賛成二五、反対六で可決。下院では賛成七四、反対三の圧倒的多数で可決された。賛成に回った女性議員がかなりいる。中絶手術をした医師たちは、最長で九十九年の懲役刑を受ける可能性がある。

子宮に宿った生命から心臓の鼓動が聞こえてからの妊娠中絶は違法であるとする厳しい州法はかなりの州で成立していた。女性の子宮に宿って、鼓動を開始した命は、「神の賜り物」であるとの信仰に基づいている。胎児の心音が聞こえるには、受精卵が着床してから少なくとも六週間はかかる。妊娠したために、生理が遅れていると女性が気づくには十分な時間ではない。さらに妊娠した性行為の相手が誰であろうと、胎児を堕胎することは法律違反だというのだ。相手が強姦犯であろうが、性的虐待をする近親者であろうが関係ない。妊娠した女性の生命に危険が及ばない限り、中絶手術を禁止。女性が子どもを産むことを義務づけている。

妊娠中絶を事実上、全面的に禁止したアラバマ州の法案通過を、世界の多くのメディアが報じた。アメリカではプロ・ライフ（命を支持）とプロ・チョイス（産むのは女性の選択）の論議になっている。全米のリベラル、保守のメディアでは活発な論議が行われた。

しかし、アメリカの外から今回の人工中絶法案をめぐる対立を見ていると、問題の本質はそこにはないように思える。両者にある本質的な違いは、人間を誰が作ったかの話に行き着いてしまう。

神が人間を作った。だから、生物の進化の過程でヒトが生まれたという進化の論理は否定される。実際、ダーウィンの進化論を授業で教えるのを禁止している学校は全米に現在でもいくつもある。妊娠は神の意志だから、胎児が鼓動を開始して人間になった時から、人間を殺してはいけない。「汝殺《なんじ》すなかれ」との神の教えに従えということか。

アメリカ建国の始まりを作ったピューリタンたちは、故国イギリス国教会の束縛を嫌うカルビン主義の影響を強く受けた、いわばキリスト教原理主義の人たちだった。アメリカで多数を占めるプロテスタントの宗派は違うが、建国時のキリスト教原理主義的な考え方が強く残っている。建国後、アイルランドやイタリアからやってきたカトリック教徒は、中絶に関してはプロテスタントのキリスト教徒以上に原理主義的な考えを持つ。大英帝国の一員である北アイルランドで中絶が合法化されたのは、二〇一九年も十月になってからのことだった。

原理主義がテロに結びつくのは、イスラム原理主義者の動きを見ればわかる。中絶は神の意志に反すると信ずるキリスト教原理主義者も全米でテロ行為を続けてきた歴史がある。中絶を行うクリニックへの脅迫、破壊行為などだけではなく、放火、殺人、誘拐まで犯罪記録に残されている。一九八二年に結成されたアーミー・オブ・ゴッド（神の軍隊）はキリスト教テロリスト組織として、司法省と国土安全保障省の共同の情報ベースに登録されている。まだ生まれていない人間の命を守るために、中絶手術に携わる医師や関係者を殺戮するという論理の不可解さは、そのまま原理主義が支配するアメリカという国の不可解さに通じる。

アラバマ州の法案に署名したケイ・アイビーはもちろんテロを起こすつもりなどない。いずれ、訴訟が起こされ連邦最高裁で審理が行われるだろう。その時に、一九七三年のロー対ウェイド（Roe v.s.Wade）判決を覆すことを最終目的にしている。アメリカの訴訟名は、訴えている人の名前と、訴えられた人との名前が書かれている。有名なハリウッド映画「クレイマー・クレイマー」は夫婦間の子どもをめぐる争いなので、ああいう題名がついた。つまりクレイマー対クレイマーの訴訟だ。

州知事のケイは二度の離婚歴があるが子どもはいない。アラバマ州生まれだが、結婚してリベラルなカルフォルニア州に住んでいたことがある。ケイが子どもを産むことについて、どのように思っているのかはわからない。

だが様々な理由で合法的な中絶手術を求める女性たちの多くは豊かな階層の人たちではな

い。州境を越えて、中絶手術を受けに行くのは経済的にかなりの負担となる。また、近親相姦やレイプで妊娠した女性たちが、屈辱の思い出と一生暮らすことになることについては、ケイに責任の一端があることは間違いない。

ロー対ウェイド事件では、未婚の女性と中絶手術を行った医師が逮捕され、ふたりはテキサス州ダラス郡の地方検事ヘンリー・ウェイドを相手に訴訟を起こした。未婚女性は身元を隠すために、ジェーン・ローの仮名を使っての裁判が認められた。そのころ、全米の州と同様に、テキサス州法では母体の生命保護以外での中絶手術が禁止されていたのだった。

最高裁判決は画期的なもので、多数意見で、堕胎するか否かを女性のプライバシーの権利として認めた。胎児の生命が「人」に含まれるかどうかは合衆国憲法上で明記されていないとして、判断を避けた。だが、妊娠して胎児が後産期に入り、生まれれば生存可能になった場合は、母体の生命を保護するため以外は、連邦憲法は中絶を禁止できるとしている。この判決により、多くの州の中絶禁止規定は無効となって、今に至っている。

十月に入って連邦最高裁が、ルイジアナ州の中絶法案を審理すると発表した。二〇一八年十月にトランプ大統領が新たな判事を指名、上院で承認されて以来、連邦最高裁判事は保守派が多数を占めている。どのような審理が進められるかは多くのアメリカの女性たちの運命と将来を決めていく。

第三章

銃社会を生きる若者たち

「侵略者」を射殺する青年

パトリック・クルシウスは戦場に出発する前に、大きな樹木に囲まれた瀟洒な家をじっと見つめたことだろう。あそこが自分の部屋だった。でも、あそこに戻ることはもうない。それが「アメリカを守る戦士」としての自分を選んだ人生だからと決意していたのかもしれない。

大学に通うために暮らさせてもらった祖父母の家は、テキサス州アレンという海抜二百メートルのところにある。蒸し暑いテキサスの中では比較的過ごしやすいところだ。ここから、メキシコ国境の町、エルパソまでは約九百キロ。車を飛ばせば、十時間で行く。そこにメキシコからの「侵略者たち」がいる。彼らを倒すのだ。武器と弾薬は十分に車に積んだ。

パトリックはエルパソの大型スーパー、ウォルマートで二二人を射殺、二四人に重傷を負わせた犯人だ。彼は攻撃開始の前に、戦闘宣言をインターネットに流した。それは四枚にわたる小論文とも思える長文だった。投稿したサイトからは削除されたが、いくつかのインターネット・メディアが、部分的に黒塗りになってはいるが、全体の内容がつかめる原文を掲載していた。黒塗りの部分は、具体的な攻撃目標や攻撃方法が書かれているという。戦闘宣言のタイトルは、「不都合な真実」。パトリックがまだ幼いころに、アル・ゴア元副大統領が執筆し、ドキュメンタリー映画になった「地球温暖化」をテーマにした作品のタイトルと同じだ。

誤解を恐れずいえば、二二人を自らの手で射殺した極悪犯人とは思えない、論理的には完成度の高い文章だった。事件後に公表された写真の憔悴しきったうつろな眼をした二十一歳の青年が書いたとは、とても思えない。彼の「不都合な真実」は、「私のこと」、「政治的理由」、「経済的理由」、「リアクション」、「個人的な理由と思い」の五項目で書かれている。

読んでいて、ふとアメリカに「民主社会主義」を目指すサンダース上院議員の主張を支持する若者が書いたのではないとの錯覚を起こした。病めるアメリカの現状認識への切り込み方はほぼ同じだ。だが、「テロ」という解決方法がまったく違っている。

「メディアは自分のことを白人至上主義者と呼ぶだろう。憎悪による犯罪（ヘイトクライム）と呼ぶだろう」と書いている。だが、彼は人種差別主義者ではなかった。虐殺現場のエルパソでは、メキシカンを標的においたが、憎しみの感情があったとは思えない。攻撃したのは、メキシカンが「侵略者」で、パトリックが愛するアメリカを「破壊している」とパトリックが思い込んだからだった。

人を殺すことにためらいがあった。特にアメリカに連れてこられたアフリカ系の黒人を含め、アメリカを建国してきた人間たちを殺すのは嫌だった。

「白人至上主義者」とパトリックを呼ぶことは簡単だ。事実、彼は自分が白人の血を引いていることを誇りに思い、人種混交が進む世界は正しくないと思っていると書いている。血の混交は種の保存を守る意味で間違っている、人種混交を防ぐために、アメリカは連邦政府ではない、「連合政府」の考え方をとり、各州に居住する人種を決めることで住み分けをするべきだと、彼は考えていた。

また、アメリカ先住民を滅ぼして、白人の自分たちがアメリカに自分たちの文明を築いたことを非難しないのは偽善的ではないかといわれることは認識している。だが、アメリカ先住民が、自分たちが侵略されていることを自覚できずに、「侵略者」に抵抗しなかったから侵略されたのだと、「侵略者のメキシコ人」を攻撃する今の自分の行動を正当化している。

パトリックは自死を選ばなかった。銃撃後、両手を挙げて警察官に投降した。メディアは逮捕と報じたが、彼の中では敵への「投降」ではなかったのか。自死を選ばずに、「捕虜」となる道を選び、自分の闘いの意義を伝えようとしたのに違いない。初公判では、起訴事実を読むこともなく、裁判長の罪状認否に「無罪」を宣言した。いずれ、死刑になることは間違いない。その前に訴える時間はたっぷりあると考えているのかもしれない。パトリックは現在、自殺防止用の特別な監視のもとに置かれている。

ヘイトクライムとメディアは呼ぶ。だが、パトリックのメキシコ人への憎しみは、彼が投稿した文書からは読み取れない。憎しみは愛が溶かすことができるが、思想はそれ以上の思想をもってしか変えることはできない。パトリックの思想を破壊できる思想を分断されたアメリカ社会はいまだ見つけていない。パトッリクが信じる思想そのものが、アメリカの白人の歴史を形作ったのだから。パトリックは，エルパソでの銃乱射を、侵略に対する正義の闘いだと信じている。そのために武器を所持することは憲法で保証されていると考えている。

革命戦争で、アメリカという国が形作られた後、英国がまたアメリカ合衆国を攻めてきた。人口七百万人を少し超えたぐらいの一八一二年に、アメリカの正規軍はわずかに七千人。戦争が終わったときには三万五八〇〇人になっていたが、民兵（ミリシア）は四五万人以上。銃を持てる男子の全員が銃で武装していた。自分たちの国土は自分たちで守る。それが今のアメリカを作ったと、多くのアメリカ人は信じている。

パトリックは自らがエコロジスト（環境保護主義者）であると思っている。環境を破壊し、オートメーションにより利潤を追求する大企業がアメリカを支配して破壊している。非白人移民も低賃金労働者を求める大企業が推進していると考えている。アメリカの自然も水も大地も、破壊が進んでいる。急激な人口増加が原因だ。人為的な人口増加を止めるには、メキシコからの「侵略者」を止めなければならない。ここで、青年の認識が飛躍したのがわかる。

アメリカが移民で人口を急激に増大させて、今のアメリカを作ったのは間違いない。ペリーを乗せた黒船が浦賀沖にやってきたとき、アメリカと、徳川幕府が支配する日本の人口はだいたい同じ約三千万人だった。今のアメリカの人口は三億数千万人。現在の日本の人口の三倍。自然増ではここまでは増えない。このまま移民の流入が続けば、四億人の大台は間近とアメリカ政府は予測している。激化する競争社会の中で、自分たち白人の若者の将来を懸念する彼の推論はある意味で当たっている。一部の米国メディアは、彼をエコ・ファシストと呼び始めている。

　パトリックの残虐な行動の一週間前に、カリフォルニア州で銃撃事件があった。あまり報道されないのは、この事件がマス・シューティング（大量射殺）ではなかったからだ。三人ぐらいが射殺される事件は、アメリカの都市部では日常茶飯事だ。同一の場所で、四人以上が被害にあわないと、アメリカではマス・シューティングとは呼ばないのだ。

　犯人は十九歳の少年だった。日本のニンニクの名産地、青森県田子《たっこ》町《まち》と姉妹都市になっているギルロイ市でのことだった。年に一回開催される「ガーリック・フェスティバル」の最終日、それも閉幕のわずか一時間足らず前だった。

　銃の持ち込みを警戒して会場を囲んでいた鉄条網を、少年は破って会場に侵入して銃を乱射した。銃規制の厳しいカリフォルニア州を避けて、隣のネバダ州で銃を購入していた。ラスベガスのあるネバダ州では、機関銃でさえも購入できるという。

　少年は三人をＡＫ47攻撃銃で射殺した。六歳の男の子。十三歳の少女、そして二十代の男性一人が犠牲者だった。十数人が銃弾を受け、負傷している。当初、駆けつけた警察官に少年は射殺されたと報道されたが、検死の結果、警察官の銃撃を受けた後、自らの命を銃で断った。

少年の名前はサントニオ・ウィリアム・レーガン、十九歳。なぜ犯行に及んだのかわからないが、インスタグラムにメッセージを残していた。「ええ？　ガーリック・フェスティバルだって？　高いものを買ってみればいい」とフェスティバルを馬鹿にした発言を、会場を歩く人々の写真のキャプションとして送っている。森林火災の危険性を訴える写真に、どういうわけか十九世紀末に書かれた、白人至上主義で、男性優位社会を主張する「マイト・イズ・ライト」という本を読めとキャプションに書いている。さらに、「メスティーソや、シリコンバレーの女たちのために、なんで込み合った街の舗装をしなければならないんだ」と書いた。メスティーソは白人と中南米の先住民インディオとの混血を意味している。少年が何を理由に犯行に及んだのかが、なんとなくわかる。それは非白人に対する憎悪のようだ。

事実、三人の犠牲者は非白人だった。

現場で、サントニオと顔を合せたが銃撃されなかった人物が、「お前はなんでこんなことをするんだ！」と怒鳴ると、少年は「なぜならおれは本当に怒っているからだ」と言ったとの報道がある。怒鳴った人物が白人かどうかはわからない。だが、その人物は撃たれていない。

サントニオは母方の祖父からイラン人の血、父方からはイタリア人の血を引いている。イラン人は非白人の血筋と思うかもしれないが、人種的にはアーリア人系。白人なのだ。白人至上主義者の彼がそれを知っていたかはわからない。だが、犯行後に公開されたサントニオ少年の写真は明らかに、白人と思わせるものだった。

サントニオ少年と、エルパソで虐殺を行ったパトリックは、自分たちの遺伝子的血統へのこだわりがある。それが白人至上主義として心の中で完結して、ふたりの死に結びついていく。

サントニオは警察官の拳銃に撃たれた後に、自死した。パトリックは死刑を求刑され、死刑制度のあるテキサス州ではいずれ死刑になる。ふたりに、別の選択肢はなかったのだろうか。

もし、パトリックとサントニオが人種原理主義で固まる島国アメリカを出て、金髪碧眼の美少女の多いフィンランドに飛び、彼女たちの父方のDNAには北方遊牧民族フン族の血が流れていることを知り、国境を陸路で越えてロシアに渡り、様々な人種が暮らすロシアを横断。そして、海を越えて究極の混血国家日本までたどり着いて、黒い髪の日本の少女に恋をしていれば、考えが変わっていたかもしれない……。

スクール・シューターと英雄になった少年

学校が銃を持った暴漢に襲われ，銃の乱射で多数の生徒や先生たちが犠牲になる事件を、アメリカのメディアはスクール・シューティングと呼んでいる。犯人は「スクール・シューター」だ。この英語をどのように訳すのか。日本でなら、襲われた学校名を付けた特異な事件になるのに、なぜアメリカでは一般化した名称が存在しているのだろうか。もちろん襲われた学校名が、そのまま人々の記憶に事件名として残される場合もある。しかし、このような事件があまりにも頻繁に起こるので、一般名称として存在することになった。あえて日本語にすれば、学校内銃乱射殺傷事件とでもいえばいいのか。

数あるスクール・シューティングの起きた学校で、誤解を招くのを覚悟でいうと、「スクール・シューター」たちの伝説的な〝聖地〟になっている学校がある。コロラド州のコロンバイン・ハイスクールだ。デンバー近郊のリトルトンで起きた凄惨な事件は「コロンバイン」という名前だけで、アメリカでは今でも通用する。

二十世紀も終わりを迎える一九九九年四月二十日に事件は起こった。郡立コロンバイン高校は、コロラド州の州都デンバーから約一四キロ。市外電車(ライトレール)の駅があり、デンバー大首都圏に含まれるリトルトンのはずれにある。

エリック・ハリス十八歳とディラン・クレボルト十七歳のコロンバイン高校に通う少年二人がスクール・シューターだ。二人はその五月には同校を卒業する予定だったが、事件の最後の現場、学校の図書室で自らを銃で撃ち、自死を遂げる。地元のメディアでは一人がもう一人を射殺した後に、自殺したとの報道もある。卒業アルバムに掲載されるはずだった二人の写真を見ると、教師一人を含む一三人を射殺して自殺したとは思えない普通の少年に見える。

エリックは八人を、ディランは五人を射殺したことがわかっている。重軽傷者二四人。犯行時間はランチ前の午前十一時十九分から一時間足らず。事件直前まで、ボウリングをしていたことから、マイケル・ムーア監督のドキュメンタリー映画「ボウリング・フォー・コロンバイン」の題名になっている。

犯行の動機として、二人がクラスメートから執拗ないじめを受けていたことがあげられている。いじめの事実は確認されているが、二人のターゲットがいじめていた生徒たちだけとはどうしても考えられないほど、事件は周到に準備されていた。二人は別々の車を運転して、高校にきてから別々の場所に駐車した。車を駐車した場所からは、攻撃地点である一階のカフェテリアが、完全に視界に入っていた。それぞれが散弾銃と拳銃を隠し持っていた。それにプロパンガスを使用した手製爆弾をふたつ。

ランチタイムが始まる前に、二人はカフェテリアに入り、爆弾をカフェテリアに置くと、車に戻って爆発の瞬間を待った。爆弾の威力は強力で、カフェテリアは崩壊、その二階にある図書館も崩壊するはずだった。そうしたら、学校から逃げ出す生徒たちを待ち伏せて、それぞれの攻撃地点から銃撃する。それが無差別殺人計画だった。

爆弾は不発だった。二人は弾薬と爆弾を持ってディランの車のそばで落ち合い、カフェテリアを見下ろせる、学校で一番高いところにある西側入り口の階段に陣取った。「ゴー」という言葉を合図に、そばの丘に座ってランチを食べていたカップルを散弾銃で撃った。四発被弾して、男の子は即死、女の子は重傷を負った。「コロンバイン」という「スクール・シューティングの伝説」が始まった時だった。遠くに見えるロッキー山脈の空は青かったに違いない。

「コロンバイン」がスクール・シューターの〝聖地〟と呼ばれるようになったのにはわけがある。事件発生当時、それがアメリカ全土で二番目に被害者の多い事件だったからだ。「コロンバイン」事件までは、スクール・シューティングが頻発していたわけではなかった。高校生二人が犯行に及んでいることも「コロンバイン」を〝聖地〟と考える若者たちの根拠になっているようだ。それまでに犠牲者が一番多いと記録されていたのは、一九六六年、海兵隊の元狙撃兵の大学院生が起こした惨劇で、自宅で妻と妻の母をナイフで刺し殺した後、テキサス州の大学の塔の上に立てこもって、一七人を射殺した。

コロンバイン大量射殺事件以後、多数の死者を出す事件がアメリカ各地で起きていた。コロンバイン事件が二十周年を迎え、犠牲者の数では五番目になった二〇一九年四月半ばのことだ。前年にパークランドの高校銃撃事件で、多数の犠牲者を出したフロリダ州から十八歳の少女がデンバーにやってきた。フロリダ州のＦＢＩから、少女がコロンバイン事件に「憧れて」いて、デンバー近郊の学校を襲撃する可能性があるとの知らせが、軍警察とデンバーのＦＢＩに入った。「憧れている」コロンバイン事件発生時には、少女はまだ生まれてもいなかった。少女の捜索が始まったことが、顔写真付きで新聞やテレビで報道された。コロンバイン高校を含め、デンバー周辺の学校が臨時休校になった。

十八歳の少女の名前はソール・ペイス。ブログで学校襲撃の計画をほのめかしていた。少女がマイアミからデンバーに飛行機でやってきたことが確認され、到着してからポンプ・アクションの散弾銃と弾薬を購入したまではわかったが行方がわからなくなった。少女の捜索が始まった。

少女は発見された。まだ雪が残る、人里は離れた森の中で一人で死んでいた。明らかに自分を銃で撃った自殺だったと警察は発表した。月曜日に暖かいフロリダから、海抜一六〇〇メートルの寒い中西部のデンバーに飛行機でやってきて、三日目のことだった。青いシートに包まれて、警官に運ばれる彼女の写真が新聞に掲載されている。

四月二十日のコロンバイン事件二十周年に合わせて、彼女がデンバーにやってきたことは間違いない。ブログにも「バイオレンス、コロンバイン、銃がほしい！」と手書きしたメモが残っていた。ブログに自分で掲載した写真は、黒のマスクに長い黒髪に青い目。とても美人に見える。だが、空港の監視カメラに残る少女の最後の生きていた姿は、メガネをかけた大人の女性で、毛糸の帽子に地味なスラックス、地味なコートを着ている。小さなバッグを肩から提げ、大きな荷物を持つこともなく歩く彼女を出迎えた人間はいない。空港を出ると、レンタカーらしき車を運転して、どこかに向かった。長めの滞在を予定している旅行者には見えない。

彼女が散弾銃を購入した近郊のガンショップの店員は、落ち着いた態度の彼女の経歴は法的にも問題はなく、銃の購入は合法的だったと言っている。

だが彼女の心は病んでいた。〝Dissolved Girl〟（ディゾルヴド・ガール）というペンネームでホームページを作り、自殺する一年前の五月から、一カ月前の三月まで、自己嫌悪と、生き続けることに対するあきらめに満ちた苦しい気持ちを書き綴っている。彼女が本当に学校を襲って、コロンバインの二人のように自殺しようとしたのかはわからない。

ソールを捜索していたジェファーソン郡の警察は、管轄するコロンバイン高校がスクール・シューターの〝聖地〟になっていることはよく認識していた。そのため、彼女への対応もすばやかった。何人もの若者が、全米でコロンバインを思い起こさせる行動を起こそうとして逮捕され、武器や爆発物が多数押収されていた。

警察が複数のメディアに語ったところによると、事件からすでに二十年を迎えた「コロンバイン」だが、事件当時、テレビで大々的に放送されたことが、聖地化された原因のひとつと考えている。事実、コロンバイン事件以後、アメリカの学校での無差別銃撃殺傷事が増えていった。

学校当局もいつ起こるかわからない「スクール・シューティング」を黙って待っているわ

けではなかった。教師たちが拳銃を所持するなどの自衛措置を取る学校がいくつか出てきた。連邦政府の調査では、全米の教育地区の六七パーセントで襲撃者から身を守る、「Active Shooter Drill」と名づけられた訓練が行われている。英語で検索すれば、警察や自治体が提供したものから、メディアが取材したものまで、多数の映像を見ることができる。

ドリルといっても、子どもの学習用ドリルみたいな甘っちょろいものではない。「ドリル」は立派な軍事用語で、訓練という翻訳がやわらかすぎるぐらいだ。アメリカの学校では幼稚園から高校三年までが併設されているところが多い。だから、銃を持った襲撃者から逃げる「ドリル」が幼児にも行われる。幼児たちは先生の指示にしたがって、机の下に身を隠すぐらいのドリルだが、小学生も高学年になれば、机やロッカーを動かして、教室の入り口にバリケードを作るドリルも加わる。中高生になると、拳銃を構える銃撃犯の腕を捕まえて、格闘する護身術を教えるシーンもある。

少女の自殺から二週間あまり。デンバー市内のSTEMハイランド・ランチ高校で本当のスクール・シューティングが起きた。STEMとは科学、技術、工学、数学の英語の頭文字を意味していて、低学年から教育の中心にこれらの目標を置いている。ハイランド・ランチは幼稚園から高校三年生までの千八百人以上の生徒がいる公立の学校だ。

五月七日午後一時過ぎだった。同校に在籍する十八歳と十六歳の少年が、金属探知機のない中学校入り口から校内に入り、高校のふたつの教室に分かれて入っていった。二人とも授業を受けている教室なので、遅れて入ってきた彼らを疑う生徒はいなかった。

三年生の英文学の教室に入っていった犯人のひとりデボン・エリクソンはギターケースを持っていた。教室に入って一呼吸おいた後、デボンはギターケースから拳銃を取り出し、銃をクラスメートに向けて、「みんな動くな！」と叫んだ。

その後の一瞬なのか、少しの間があったのかは目撃情報が錯綜している。教室の入り口近くにいたケンドリック・カスティーヨ君がデボンに飛びかかり、壁に押し付けた。犯人がひるんだすきに、他の三人の男子生徒も加勢して、犯人を床にねじ伏せた。拳銃は床に転がったが、三発が発射され、最初に飛びついたケンドリック君の胸を貫いていた。

銃声を聞きつけた保安員が数分後には銃を手に駆けつけた。だが、銃撃戦の必要はなくなっていた。三日後に卒業するはずだった少年の英雄的な行為とそれを助けた少年たちの自衛行動が、被害者増加を防いだのだった。だが、ケンドリック君の出血をクラスメートが必死に止めようとしたが、ダメだった。大好きだった学校の教室が彼の人生の最後の場になってしまった。

別の教室に入ったもうひとりの十六歳の少年も逮捕される。それまでに何人かの生徒に拳銃を発射したはずだが、何が別の教室で起こったかを警察は明らかにしていない。十六歳の少年は、ＦｔＭ(注)だった。見た目が男子なので、警察が記者会見したときには少年とメディアに伝えていた。だが、取調べをしているうちに、トランスジェンダーの女子であることが明

（注）出生時にあたえられた性は「女性」であるが、性自認は「男性」である少年。

らかになったのだった。少女が犯行時や学校で使っていた名前は、アレック・マッキニーだが、生まれたときに付けられた名前はマヤ・エリザベス・マッキニー。写真を見ると、確かに少年にしか見えない。

少年として話を進める。少年はトランスジェンダーであることでいじめや嫌がらせを受けていたと取調べで述べている。自分がどんなに不快かをわからせるために、スクール・シューティングを計画。数カ月前に友達になったデボンを、半ば脅して計画に加わらせた。使用した拳銃はデボンの父親が所有するもので、無断で持ち出させたのだった。アレックがどのようにして、年上のデボンをある意味で支配したのかは不明だ。二人はお互いに家庭環境も悪く、精神的に悩んでいたことは間違いない。また、犯行時にコカインを服用していたことがわかっている。年下のアレックが、デボンに服用を勧めたのだという。

十六歳と十八歳の少年の不満が銃に結びついたとき、生きることに希望を見つけていた一人の十八歳の少年が命を失った。一人だけの息子を失った両親は、息子が他者の命を守るために自ら身を投げ出したことを理解している。小さいころから、そういう子どもだった。

息子ケンドリックは伝説の英雄となった。だが、ラティーノの両親の悲しみが癒えることはない。アメリカで生きることを選んだ息子の夢はそんなことではなかったはずだ。コロラドの山中で自ら命を絶った少女もアメリカで生き続けたかったに違いない。

社会への憎しみを晴らして死という形で命を全うしたいと思う気持ちと、社会で生き続けて自己実現したいとの気持ちの対立が、銃社会アメリカの若者の命を奪い続けている。

アメリカ憲法が保証する人民武装

米中西部、ミズリー州スプリングフィールド。西部劇でおなじみのカンザス・シティーは二三〇キロあまり離れたところにある。

二十歳の青年、ドミトリー・アンドレチェンコはスプリングフィールドにあるウォルマートの駐車場に車を止めると、トランクから防弾ベストを取り出し、Tシャツの上から身につけた。頭にはいつもの野球帽。ズボンはいつもはいているチノパンだ。肩から戦闘用のライフルの銃口を下にしてぶら下げ、右の腰には拳銃をつけたまま、店内に入っていった。ライフルの薬室には銃弾は装塡されていない。だが、銃弾百発あまりを持っている。拳銃には一発だけ薬室に銃弾が装塡されている。

攻撃用ライフルを肩にしながら、買い物カートを押す自分自身をスマートフォンで撮影した。この店に来た目的のひとつは食料品用のバッグを買うこと。もうひとつは、アメリカ合衆国憲法修正第二条をウォルマートがどのぐらい尊重するかどうか試してみたかったのだ。銃を撃つつもりなどまったくないので、手に銃は持っていない。セルフィーで撮影していたのも、誰かに止められたら、そのときの状況を記録しておきたいと思ったからだった。いずれフェイスブックに投稿できる。義理の妹にビデオ撮影を頼んだが、同行を断られていた。妻にもトラブルになると止められたが、どうしてもやってみたかったのだ。

気分は浮き浮きだったが、店内の人々の反応はまったく違っていた。ドミトリーの姿を見るなり、店員は銃を撃つと思って、火災警報機を鳴らした。エルパソのウォルマート銃撃犯と年格好が似ている姿を見て、パニックになった人たちは先を争って店の外に逃げ出した。店員も何度もアラートを発進、銃撃犯がいると警察に通報、出動を求めた。混乱の中で、何人かが負傷した。エルパソでの銃乱射で二二人が射殺されてからまだ五日しか経っていなかった。

まずいと思い、ドミトリーはカートを押しながら、すぐ店を出て自分の車に向かった。逃げるつもりはなかったが、彼を待ち受けていたのは、銃口だった。非番の消防士が、所持していた拳銃を彼に突きつけた。撃たれて、死ななかっただけでもさいわいだった。駐車場のそばにある緑地から手を挙げて、歩いて降りてくるドミトリーの映像が残されている。

彼はガンマニアだった。名前で検索すると射撃場で、機関銃のように銃を撃つ姿が映像で残されている。翌年一月には一児のパパになるとフェイスブックで自己紹介している。ドミトリーは二歳のときに、両親に連れられてウクライナからアメリカに移住してきた。それからすでに十八年。定職を持ち、平和な家庭を築いていた。

ドミトリーが住むミズリー州ではライフル、拳銃を問わず、十九歳になれば、銃を購入して持ち歩くことができる。ミズリー州並みの緩い銃規制をしている州は、全米五〇州の中で三〇州ぐらいある。西部劇の時代はそのまま生きている。

ドミトリーは人々にテロの恐怖を与えたとしてもちろん逮捕された。地元グリーン郡の警察と検察当局は、ミズリー州では銃所持者の権利は認めているが、人々を恐怖に陥れることは許されていないとメディアに述べている。裁判所でも裁判官はきつく彼をしかった。一万ドルの保釈金を払って留置所から出てきたドミトリーは、地元メディアのインタビューに答えて、「まずいときにやってしまった」と後悔する気持ちを語ったが後の祭り。合法的にアメリカ滞在許可を得ているドミトリーだが、有罪が宣告されれば、国外追放となる。

銃の所持と携行がどの程度自由かは別として、アメリカ合衆国憲法では、人民（民兵）の武装が認められていると、ほとんどのアメリカ人が考えている。銃規制に反対する人たちが根拠にするのが、この憲法修正二条。ドミトリーがウォルマートはどう考えているのかを試してみたかったのもこれだ。

一七八八年発効のアメリカ合衆国憲法は、世界最古の成文憲法。銃の所持を人民に認める憲法修正二条は一七九一年十二月十五日に人民の人権を守るために付け加えられた権利章典の一項目として書かれて、そのまま二十一世紀のアメリカ人の生活に生き続けている。なんと書かれているのだろうか。直訳した日本語をそのまま書く。

「規律ある民兵は、自由な国家の安全にとって必要であるから、人民が武器を保有し、また携帯する権利は、これを侵してはならない」

これだけの文言だ。具体的に何を言いたいのか、わかったようでわからない。これが書かれた時代背景を理解しないと、ほとんど理解不能だ。なんとなく「あれっ?」と思うのは、武器を人民が保有することは、「自由な国家の安全にとって必要」という部分だ。「人民」と「民兵」はほぼイコールだとすれば、人民がなんのために「武装」するのかというと、「国家の安全」を守る戦争に備えるためということになる。

イギリスからの独立を果たしたアメリカ革命で重要な役割を果たしたのは非正規軍の「民兵」たちだった。すでに戦争に勝利した「民兵」たちが武装する権利をなぜ、あえて公布されてまだ何年も経っていないのに、書き加える必要があるのか。

それは「連邦政府」と「州政府」が人民の意思に反して、圧政を行った場合に「武装蜂起」する権利を、憲法に明記する必要があったからに違いない。飛躍したいい方をすれば、アメリカ憲法は世界で唯一、人民の武装蜂起による「革命」を認めている憲法だともいえる。

さらに不思議なのは、この修正内容には現在のアメリカ人が銃を所有したいとする重要な理由になっている「自己防衛のため」という言葉がまったくないことだ。また、武器とは何かという定義がまったくない。当時、戦争に使用されていた銃は火薬と弾丸を先から詰めるマスケットと呼ばれる銃だったはずだ。

今のアメリカでは、連射のできる機関銃クラスの銃を、手軽に購入できる。一方で、女性のハンドバックに入る護身用の超小型のおしゃれなデザインの拳銃も多数販売されている。銃を英俗語でいうとイコライザー（平衡させるもの）。大男の暴漢に襲われた小柄な女性が拳銃を持つことで、肉体的には「対等」な立場以上になれるから名付けられた。

驚くべきことに、「民兵」と関係のない個人が、自宅での「自己防衛」のために武器を所持できることが、憲法修正二条に含まれているという連邦最高裁判決が出たのは二〇〇八年、つまり二十一世紀になってからだった。

そのころ、首都ワシントン、つまりコロンビア特別行政区では、拳銃の保有が禁止され、ライフルや散弾銃も弾を込めずに分解して保管することが法律で決まっていた。これに対し、訴訟が起こされていた。確かに、「自己防衛」のために分解された、弾の入っていない銃を持っていても、とっさに暴漢から身を守ることはできない。この判決には犯罪者などの武器所有への規制と、所持できる武器についての規制も書き込まれている。だが、事実は野放しの状態でアメリカの銃社会は膨張している。

銃規制を主張する人たちも、この憲法修正二条の修正あるいは、撤廃を主張することはない。あくまで、銃購入者の身元調査や販売できる銃が連射できないようにして殺傷力を低くすることなどを求めている。本質的な問題を置き去りにして現実が進むアメリカ社会の典型的な形が、銃社会のあり方に現れている。

私のワンちゃんを返して

アンジェラ・ゾーイックさんは今でもその日のことを思い出して、涙が出る。愛犬キーヤが射殺された日のことだ。もう五年以上前になる。大きなピットブルだが、左眼と口の周りが黒で、残りは白い短毛。ピンクのウサギの帽子をかぶせて耳を隠すと、まるで赤ん坊のようなかわいいワンちゃんになる。その真っ黒な目に見つめられるとたまらなかった。子犬のときから育てていた。まだ、四歳の女の子だった。

夫と息子たち、それに生後六カ月の孫と暮らす狭い家が差し押さえにあっていた。支払いができなかったためにガスの供給が止められていた。交通違反の罰金も払えていない極貧状態。何カ月も前から、セントルイス市から依頼を受けた職員が警察官に同行されて、何度か督促に来ていた。だが、払えないものはどうしようもない。さいわい水道は出ていたので、電気製品を使えばなんとか生活はできる。

五年前に悲劇の日が訪れた。アンジェラは玄関のほうで、「ブーン」という音の後に、「ポン、ポン、ポン」という、何かがはじけるような音を聞いた。後で知るのだが、キーヤの命が奪われた瞬間の音だった。「ブーン」という音は押し破られた玄関のドアが壁に当たった音だった。二〇一四年四月二十九日の午後。この日、家にはアンジェラと生後六カ月の幼い孫、何人かの大きくなった息子たちがいるだけだった。それに愛犬のキーヤが……。

カギのかかっていない玄関のドアを蹴飛ばして、銃を持った男たちが突然、アンジェラの家に押し入ってきた。一瞬のことだった。セントルイス市はM4戦闘用ライフルで武装したSWATチーム（特別狙撃隊）を送り込んだのだった。手錠をかけられ、床に膝をついたアンジェラは、ヘルメットをかぶったその姿から、SWATではないかと気づいた。だが、キーヤが不審者に吠えないのはおかしい。

「私の犬はどうしたの？」。アンジェラは叫んだ。SWATの一人が、「犬が襲ってきたので射殺した」と言った。この一言が、のちにキーヤを殺された彼女の恨みを晴らすことになる。キーヤは背中を撃たれていた。逃げようとしたキーヤを警官は後ろから撃ったことが裁判の中で明らかになる。

この日、四人の武装警察官がいくつかの古い捜査令状を手に、アンジェラの家の玄関をノックすることも、事前通告することもなしに、突然、襲ったことが、五年後の訴訟の中で明らかになる。愛犬を殺されたアンジェラはセントルイス郡警察を相手に、訴訟を起こしたが、法廷での裁判がようやく開始されたのは、二〇一九年七月のことだった。

訴えの根拠は憲法修正四条だった。「不合理な捜索及び押収に対し、身体、家屋、および所有物の安全は保障されるという人民の権利を侵してはならない」とするものだ。合衆国憲法の権利章典に人民の基本的人権を守るために、二百年以上前に書き加えられた。

確かに、ガス代滞納や交通違反の罰金でなぜ、M4攻撃銃という戦場で使用される武器を持った四人の警官が普通の家庭に捜索に入るのかには大きな疑問がある。複数の捜査令状を持っていたが、具体的に何を押収するのか、普通の人には理解できないはずだ。また、大型犬であるとはいえ、どうしてペットのキーヤを射殺しなければならなかったのか。疑問は広がる。警察官は数メートル離れたところから、キーヤが襲ってきたと証言したが、キーヤの遺体の写真を見ると、銃痕は後ろから撃たれていることを示していた。

裁判に勝ち目はないと判断したのだろうか。郡警察当局は、裁判官、陪審員が集まった裁判の冒頭に、七五万ドルという高額の賠償金を支払うことを条件に、アンジェラに和解を申し出た。和解内容を公表しない条件がついていた。だが、彼女は裁判をしっかりやることで、警察当局の責任を公の場で追及することを選んだ。裁判の双方による弁論は一週間続いた。アンジェラと弁護士たちは、軍隊のような装備をし始めたセントルイス警察の姿勢を正し、安易に銃を発射したことを追及したいと思っていた。このころ、アメリカではペットを警察官が撃つ事件が多発していた。

なぜ、武装した凶悪犯に対応するはずのSWATチームが、報道された写真で見ると普通の小さな個人住宅のアンジェラの家に送り込まれたのかを、警察は法廷で説明した。これまでアンジェラ宅に電話をかけたり、訪問していたのだが、怒鳴られるなど、いつも怒り丸出しの対応しか受けずにいた。また、近所の住民から犬のことなどで苦情が再三あったので、

「危険性」がある「家庭」と、警察がリストアップしていたのだった。

銃社会アメリカでは、毎年多数の警察官が捜査の過程で射殺されている。「殺られる前に殺れ」という考えが、警察官の間では当たり前になっている。事実、この裁判の判決の前に、隣の警察署の警察官が捜査の中で、射殺されていた。

だが、アンジェラの勝訴だった。セントルイス市は彼女に七五万ドルの賠償金を支払うことになった。この裁判の前に、他の州でも同様の事件で多額の賠償金が支払われていた。警察はその例をあげながら、この和解金額は破格の額であることを強調した。

キーヤは、私の所有物ではなく、私の家族の一員だ。その意味で、支払われる補償金は決して多くない。これを教訓として警察官が犬を撃つことをためらうようになればと、アンジェラと弁護士は思っている。

だがアメリカの銃社会はそんなに甘くない。警官が撃つのはペットの犬ばかりではない。当たり前だが日常的に人間に銃を向け、場合によっては撃つ。日本の警官のように、威嚇射撃や足など致命傷にならないところを狙ったりする甘いことはしない。相手が銃を持っていることを前提に、警察官は銃を撃つ。英語で検索してみれば、警察官が銃を撃つシーンは、いくらでも出てくる。警察官のボディーカメラで撮影されたものがほとんどだ。

アンジェラさんが勝訴してから、一カ月ちょっと後の八月三日に黒人の少年が警察官に射殺される事件が起こった。セントルイスから大平原をはるかに越えた砂漠の町、コロラド州コロラドスプリングで、警察官が少年を射殺するシーンを撮影した映像が公開された。複数の警察官のボディーカメラで撮影された二十一分間の映像で、警察官の所属する警察署が、世論対策で公開したものだった。

出だしは映像なしの911コール（日本の110番）の交信録音と字幕。それが終わると映像はパトカーを運転する警官のボディーカメラ撮影の映像に移行する。911コールで、男性が自宅近くの路上で、銃で脅され所持品を奪われたので捜査してほしいという。似たような男たちがまだ、現場にいるという。パトカーは平屋住宅が建つ郊外の住宅街に入っていく。

道路にバミューダーショーツにTシャツ姿の二人の若者が立っている。パトカーは二人のそばに近づき、パトカーから降りた二人の警察官がこの辺で事件があり捜査をしていることを伝えるとすぐに、若者たちに両手をあげるように指示をする。若者たちは両手をあげる。すでに複数のパトカーが到着している。

一人の若者の背後から、銃を所持していないか確認するために、警察官が近づこうとすると、向かって左側の一人の若者が背を向けて、突然、全力で走り出す。「手をあげろ！　手をあげろ！」という激しい言葉と、拳銃が発射される音はほとんど同時だった。映像を見る限り、五発以上の銃弾が発射され、若者の左の脇腹後方にあたっている。若者は一瞬、顔を上げ、後ろを振り向いたが、すぐに地面に倒れた。血が地面に広がる。警官たちはショーツをナイフで破り、脱がせ始めた。少年の傷口を確かめることもなく、所持していると思われる拳銃を捜しているのがわかる。

自分たちの銃弾で負傷した若者の命を思うことよりも、犯罪を立証する銃の捜索を優先している。ショーツを切り裂いているときにも、若者のTシャツに複数ある銃痕からは止めどもなく、血が地面に流れて出していた。若者は死んだ。十九歳だった。家族の訴えにもかかわらず、射殺した警官二人は正当な行動をとったとして、職務に復帰した。警察署が公開したビデオの最後には、警察官が武器の使用を許される条件が記載されていた。それに該当するから、二人の警察官はおとがめなしなのだった。

銃社会アメリカでは、警察官に射殺される人の数は、毎年千人近くになる。ペットの犬は一日平均二五匹が、なんらかの理由で射殺されていると、民間団体の調査が報告している。射殺される犬の多くは、ピットブルやシェパードのような大型犬だという。かわいいキーヤもそういえば、ピットブルだった。

ストリート・ジャスティスというリンチ殺人

アメリカの独立が宣言された歴史的な町、フィラデルフィア。七月の湿気を含んだ空気に包まれた平穏な夜だった。二十五歳のシングルマザーは車を止め、車内に三人の子どもを座らせたまま、ボーイフレンドの働くピザショップに入っていた。五歳の男の子と妹は後部座席。一番下の子はまだ生後五カ月だから、前の座席のベビーシートにしっかりベルトをつけて座らせていた。赤ん坊の「父親」が会いにいく「彼」だった。

どうせ、「ハーイ!」と声をかけるだけだからと、車のキーはつけたままだった。もちろんドアのカギはかけていない。駐車した車からピザショップの入り口までは、地元メディアなどの映像を見る限り、大した距離はない。テイクアウト店らしく店の窓はロゴなどで覆われていて、店内はよく見えない。大声を出せば、店内の声が聞こえるぐらいの距離だろう。

一人の男が悲劇に近づいていった。男がどこにいたのか目撃証言はない。女性が車を出ていったのを見ていたのかどうかもわからない。明らかなのは、男は子どもたちが乗った車に飛び込み、車を急発進させたことだ。

店内にいた子どもたちの母親とボーイフレンドはすぐに気がついて、必死で車を追いかけた。さいわいにもショッピングセンターからメイン道路に出る信号で、車は停車した。ボーイフレンドは車を奪った男を引きずり出した。男は激しく抵抗、手を振り切って逃げ始めた。しかし、それは悲劇からの脱出ではなかった。

半ブロックほど逃げたところで、ボーイフレンドは男を捕まえ、激しく殴りつけた。なぜ、車を盗もうとしたのか、車内に子どもたちがいたから車を奪ったのかなどは、永遠の謎だ。五十四歳の男はもうこの世にはいない。

ボーイフレンドが殴打して道に倒れていた男のまわりに、近所の人たちが駆けつけて集まってきた。日本でならそこで「警察を呼べ」という声が出るのだが、集まった人たちは車強奪犯を殴り始めた。そのシーンは男たちのスマホの映像として残されている。

執拗な暴行を受けた男は顔を下にして意識を失う。駆けつけた警察官が病院に運ぶが、男はまもなく死亡した。車の強奪犯、エリック・フッドは五十四歳の生涯を終えた。エリックには多数の犯罪歴があった。しかし、だからといって、このように殴り殺されることが正当化されるわけではない。

アメリカ社会では歴史的に警察、司法の介入しない形での「正義」の行使が正しいことという考えが人々の間にある。その歴史において、広大な荒野で、警察も検事も裁判官もいないところがかなりあったからだ。

この事件を捜査したフィラデルフィア市警のスミス警部は記者会見で、「私はストリート・ジャスティスのファンではない。犯罪行為があった場合は、我々を経由してすべてのことが処理されるべきだ」と述べ、事件への戸惑いをみせた。事件に関わった人物は速やかに申し出てほしいという警察からの問いかけに応ずる人はいなかった。ビデオで殴っている姿が撮影された父親が事情聴取を受けた様子もない。刑事事件を担当する地区検事局の広報担当者は、警察からの報告を待っているとしているが、エリック・フッド氏を殴り殺した容疑者が逮捕されたという報道は事件から数カ月経ってもなかった。

アメリカは建国以来、司法、警察機構の整備が進んでいかなかった。ある意味で、治安、犯罪処理は人々が住むコミュニティーの自治にまかせていたところがある。ストリート・ジャスティスを当時はリンチと呼んでいた。日本語では私刑と漢字で表記する。

エリックが殴り殺される前年だった。ストリート・ジャスティスとみなし得る射殺事件があった。テネシー州メンフィスの小さな食料品店から十七歳の黒人少年が、金を払わずにわずか二ドルの缶ビールをつかんで逃げようとした。他の客にカウンターで対応していた店員ガザリは、殺傷能力の高い拳銃を持ち出して少年を追いかけ、五、六発発射した。ガザリは何事もなかったかのように店に戻り、「当たったたと思う」と述べたが、警察を呼ぶことはしなかった。そばで見ていた顧客も警察に連絡することはなかったと、裁判の記録にはある。

少年の遺体は二日後に、店の近くの裏庭で発見された。検視では大腿部に少なくとも三発の銃弾を受けていた。すべて、後方からの銃痕だった。少年に向けて発砲した店員の話を裏付けていた。

少年の遺体はなぜ、店の近くの裏庭で発見されたのか。太ももを負傷した少年は必死で逃げた。傷からは激しく出血したのだろう。逃げおおせたと思った少年だが、おそらくはその場で出血多量で死亡した。もし、食料品店の店員や顧客が警察に電話して、警察あるいは救急車が駆けつけていれば、十七歳の少年の命が救われたかもしれない。二ドルの缶ビールを盗んだ窃盗罪で刑に服することはあっても、大人になることもなく死んでいった人生よりは意味のある生き方ができたはずだ。

店員は捜査が進む中で、逮捕された。第二級殺人罪で起訴され、裁判が進行した。二〇一九年の十月三十一日に第二級殺人で、仮釈放なしの懲役二十二年の有罪判決を受けた。リンチが罰せられなかった昔なら珍しいケースだ。公的な警察と司法権力の行使を排除して、自分たちで犯罪、あるいは犯罪と思った行為を罰するのをリンチというならば、アメリカではリンチがずっと続いてきた。リンチ、あるいはリンチングという言葉の語源は、いくつかある。リンチという人物がそのような処刑方法を始めたのでリンチングと呼ぶのが定説になっている。リンチという名字は珍しい名字ではない。

奴隷解放後のアメリカ南部では、四千件以上のリンチによる処刑が行われたとの統計がある。その中で、公的機関で犯罪と認定された例は皆無だ。リンチで検索すれば、首を吊られた黒人の前で、笑う子どもたちや女性の写ったモノクロ写真がすぐにヒットする。

実はリンチという行為は、今のアメリカの子どもたちの遊びの中にも存在している。

ニューハンプシャー州でのリンチ事件だった。八歳の黒人の血が混じった少年クインシーが被害者だ。八月の夏休みのある日のこと。遊んでいた近所のティーンエージャーの少年たちが、人種差別的な言葉をいい始めた。家の前にあるテーブルの上にブランコ代わりの古タイヤからロープをぶら下げ、一人ずつロープを自分たちの首に巻きつけてみせた。それから、クインシー君に「お前の番だ」と言ってロープを巻きつけた。そこまでならまだいい。だが、少年たちは古タイヤの下のテーブルの上にいるクインシー君をテーブルから押し出した。クインシー君は首つり状態になった。彼は足をばたつかせ、ロープをつかんで叫び声をあげた。ティーンエージャーの少年たちはその場を立ち去った。

クインシー君の悲鳴を聞いた叔母が駆けつけた。彼の顔はすでに紫色。すぐに救急ヘリコプターで、病院に搬送された。さいわいクインシー君は、首に跡が残るものの、大きなけがもなく一命を取り留めた。

ヘイトクライムであるとして、住民が抗議集会を開く中、州知事は、「これはリンチングである」との声明を出した。事件の当事者である少年たちはふざけただけで、悪いことをしたと思っていない。

リンチを許す伝統的な考え方はアメリカ社会に今も生き続けている。

第四章

「アメリカンドリーム」の地は失楽園

友だちにランチを食べさせたい

いつもは陽気なライアンが、うつむいて、黙って座っている。

「どうしたの?」

母親のキーリーは思わず聞いた。いじめにでもあったのだろうか? ライアンはもう九歳。男の子だが、すこしむずかしい年齢にさしかかっている。

「お腹がすいているんだ……」

ライアンがポツリと言う。

「朝ご飯は食べたでしょう」と言おうと思って、キーリーは気がついた。

「お腹が空いている」の主語は「彼ら」だったのだ。

ライアン・コヨーテ君はカリフォルニア州ナパ・バレーのウエストパーク小学校の三年生。朝ご飯を食べながら見たニュースが彼を悩ませていた。

給食費の支払い口座残高が足りないために、ランチを食べることのできない小学生たちがアメリカに多数いるという。ランチ代を払えないだけでなく、お弁当を持ってくることのできない生徒もいる。学校に来て弁当箱を空けてみると、何も入っていないのでランチタイムになると教室を出て、廊下に水を飲みに行く。

教室に戻って、あらためて空の弁当箱を開けると、中には周りのクラスメートが食べている食べ物が、いくつも詰められているという、ジーンとくるキャンペーン映像がある。誰が入れてくれたのかはもちろんわからない。ライアンがそんな場面を体験しているかはわからないが、アメリカの貧富の格差は子どもたちの給食の時間にも出現している。

ワインで有名なカリフォルニア州ナパ・バレーの統一学校区では、カリフォルニア州の法律で、給食費を払えない子どもでも、ランチを食べることができる。

ライアンはそんな法律があることを知らなかった。どこのチャンネルでニュースを見たのかわからないのだが、自分の学校では絶対にこんなことは起こさせないと思った。なぜならそれは正しくないことだからだ。ライアンはアメリカの少年らしい直線的な行動に出た。なんとか困っている生徒たちの借金を自分の貯金で払ってあげることはできないだろうかと、母親に相談した。去年のクリスマスから、毎月のお小遣いを節約して貯めた貴重なお金だった。いつかゲームカードや、バレーダンス用の靴を買おうと思っていたのだ。

母キーリーは朝食もランチも食べられない子どもたちを救うなんて、すばらしいアイディアだと思った。なんとかしようと、アメリカン・ママらしい行動力をすぐに発揮した。

彼らはすぐに、ナパ・バレー統一学校地区の給食担当者に、メールで連絡を取った。ナパ・バレーでは保護者の収入に応じて、朝食は三〇セントから一ドル二五セント、ランチは四〇セントから三ドル二五セントを支払うことが決められている。現在、全校生徒の給食費未納額は約七百ドルだという。担当者がライアンたちからの連絡をどのように理解したのかわからない。篤志家が寄付をしたいと言ってきたと思った可能性もある。

約七百ドルと聞いて、それはとても自分たちが負担できる額ではないと思った。キーリーはシングルマザーだった。極端に貧しくはないが、決して豊かな家庭ではない。無理だった。三年生全体ではどのぐらいの負債があるのかを、さらりと聞いてみた。七四ドル八〇セント。この額ならなんとか支払えるだろう。

ライアンは自分の銀行口座からお金を引き出して、学年末を前にした五月二十四日に郡の事務所に行き、クラスメートたちの負債を支払った。係員は寄付をしてくれる人間があまりに若いので、びっくりしたが、快くお金を受け取ってくれた。その時にもらった領収書を持つライアンの写真を、母のキーリーは事務所前で撮影している。一生の思い出になるはずだ。キーリーはソーシャルメディアにその写真を投稿した。ソーシャルネットワークで話題になった。

しばらくすると、ライアンのことが地元紙に写真付きで掲載された。ライアンが役所にお金を渡してから、十日以上経っていた。何日かして、テレビ局や新聞社が全国版で取り上げ始めた。取材に訪れた記者の質問も受けた。

シングルマザーのキーリーの名字はカーパトリック。ライアンの実の母親だが、名字が同じではない。「なぜ」と質問されて答えた。地元紙に掲載された写真を見ると、あどけない金髪の男の子だが、ライアンは実は韓国人、ガーナ人の血が少しずつ混じっている。ライアンは自分のカルチャー・アイデンティティを明らかにするために、「コヨーテ」という名字を自分で選んで、一年前に改名していたのだった。

日本でなら、珍しい美談と報道されるだろうが、アメリカでは同様の話がたくさんある。オハイオ州ランカスターでは、高学年の子どもたちが給食費を払えない生徒たちを助けるために、手作りのクッキーを放課後に販売して、お金を集めた。サウスカロライナ州、エレメントの小学校二年生、八歳の女の子のジュリアンちゃんは友だちを助けようと、サンタさんに手紙を書いた。宛先の住所は北極点。給食費の負債を払うために、ファンドを開いたので助けてくださいという内容だった。サンタさんからかどうかはわからないが、たくさんの寄付が集まった。

八歳や九歳の子どもたちが胸を痛めるほどに、アメリカの子どもたちの飢えの問題は、美談の持つ温かさを超えて深刻さを日々増している。子どもたちの善意だけで問題が解決するほど、事態は甘くない。

「子どもたちを飢えさせるな」（NOKIDHUNGRY＝ノーキッドハングリー）という、子どもを支援する民間団体によれば、アメリカの子どもたちの六人に一人は「飢えて」いる。原因は貧困だ。アメリカ農務省の二〇一七年の調査データによれば、アメリカの全人口の一一・八パーセントに当たる千五百万世帯が貧困レベル以下にあり、健康維持に必要な食料が購入できずにいる。そうした世帯には約千四百万人の子どもたちが暮らしている。

寄付金で運営される民間団体「ノーキッドハングリー」の活動は多彩だ。家に十分な食べ物がないために、お腹をすかして学校に来る子どもたちのために、学校のカフェテリアで朝食を提供することから始まり、ランチはもとより、場合によっては早めの夕食も提供している。この団体によれば、約二千二百万人の生徒たちが、無料または割引された値段で、朝食やランチの提供を受けている。

問題は学校での朝食やランチだけではないと、「ノーキッドハングリー」の人たちは言う。長い夏休みになると、貧困家庭の子どもたちは給食がなくなるので、ほとんど食事をとることができなくなる。その数は食事の援助を受けている七人に六人の割合だという。しかし、現在まで夏休みに食事をとれない子どもたちの一五パーセントしかカバーできていない。

南部のジョージア州アトランタ市が、大胆な行動を起こした。二〇一九年九月の新学期から、アトランタ市のほぼ全域をカバーする七〇校で、保護者の収入にかかわらず朝食とランチを完全に無償にしたのだ。多くのメディアが報道した。名作「風と共に去りぬ」の舞台になったアトランタ市には貧困家庭が多くある。一日、一ドルでも二ドルでも子どもの食費を節約できれば、助けになるのだ。

世界の超大国アメリカの未来を担う子どもたちの中に、いつもお腹をすかしている子どもがいるとは信じられないが、アトランタ市のような選択を迫られる都市は増えるだろう。子どもたちのランチタイムに投影されるアメリカが抱える貧困問題は終わらない。

インスリンを求めて、カナダにバス旅行

クイーン・ナイストロムさんは、まるで高校生に戻ってクラスメートとバス旅行をしている気分だった。それに今日はウイークエンドだ。楽しくないわけがない。カナダのオンタリオ州ロンドンまでは五時間ぐらい。気の長いアメリカ人にとっては大した距離ではない。行き先がイギリスではなくとも「ロンドン」だから、なんとなく浮き浮きする。それにカナダはインスリンが発明された国。インスリンの発明で不治の病だった糖尿病患者が生き延びる道を開いた国へ、糖尿病で苦しむ自分たちが行くのだ。

自分たちのグループを、「インスリンをみんなに――カナダへのキャラバン隊」と名付けている。アメリカと国境を接するカナダにインスリンの買い出しに行くのはこれで二回目。前回は六人で、マイカーを運転して行った。今回は参加者が二〇人を超えたため、安いインスリンを求める仲間たちとのバス旅行になったのだ。やはり、バスで行くのは楽だ。高い座席から自然に包まれた景色を楽しむことができる。

バスはインスリンが発明された由緒ある国、カナダに向かっている。インスリンがなけれ

ば、生きていけなかった人たちは世界中に何人いたことだろう。

だが、二十一世紀のアメリカではインスリンがあまりに高額なために、投与を制限せざるを得なくなって、命を落とす糖尿病患者が多数いる。キャラバン隊の仲間には、二十六歳で天国に召された息子を持っていた母親もいた。インスリンがあまりに高すぎたために、投与を制限せざるを得なかったことが原因だった。自分が産んだ子どもの死を看取ることほど、母親にとって悲しいことはない。アメリカの三千万人といわれる糖尿病患者の四人に一人は、経済的にインスリンを十分に購入することができないでいる。

ミネソタ州から千キロあまりの初めてのキャラバンを、地元のカナダテレビが取材してくれた。アメリカでのインスリンの値段がカナダの一〇倍はすると伝えるとびっくりしていた。

一回目のミニ・キャラバンが着いたのは、オンタリオ州フォートフランセスのドラッグストア。赤いシンプルな看板があるだけのアメリカのどこにでもある店構えだった。本当に処方箋なしでインスリンが買えるのかと少し不安だったが、買えたのだ！　それもアメリカで買えば一〇倍以上する同じ薬品メーカーの同じインスリンを六人が買った総額は、カナダでは千九百ドルちょっと。アメリカで買えば、なんと二万三千ドル以上になる。購入したインスリンを手に、みんなで記念写真を撮って、ツィッターに投稿したら、反響を呼んだので、今回のバス旅行が計画された。

ドラッグストアのあるフォートフランセスは川をはさんで、アメリカの対岸にある。国境を橋で越えたら、なんで値段が一〇分の一になるの？　アメリカではなにかがおかしい。どこかが間違っている。クイーンさんはキャラバン隊を続けるつもりだが、どうしてもアメリカの医療制度に納得がいかない。

世界の超大国、アメリカの市民がなぜ、国境を越えて隣国カナダまでインスリンを買いに行かなければならないのか。それは処方箋薬の値段がべらぼうに高く、アメリカでは公的な医療保険制度がほとんど整備されていないため、医療費がむちゃくちゃにかかるためだ。制度は違っても、先進国で公的な医療保険など国民皆保険制度がないのはアメリカぐらい。アメリカに戦争でたたきつぶされた日本でさえ一九六一年には国民皆保険制度が生まれている。

アメリカで貧困層と老齢者への公的医療保険制度が曲がりなりにもできたのは、暗殺されたケネディー大統領の後を継いだジョンソン大統領が、一九六五年にメディケア（高齢者と障がい者）とメディケイド（貧困層）を対象に制度化したのが最初だ。メディケイドの対象になる貧困層ではないが、かなり所得の低い人たちで、就業先が提供するコマーシャルベースの個人医療保険を契約できない層を対象に、オバマ大統領が打ち出した通称オバマケアが立法化されると、約三千万人以上のアメリカ人が公的保険ではないが、なんらかの政府の援助を受けられる保険に加入した。つまり、全人口の一〇人に一人以上がそれまでは医療保険に加入できていなかったことになる。が、トランプ政権はこれを改変しようとしている。医療費が払えずに、持ち家を差し押さえられ、売却せざるを得ない事態が全米各地で続いている。

医療制度改革は二〇二〇年の大統領選挙の大きな焦点だと、クイーンさんは思っている。二回目のバスキャラバン隊の出発には、急進的な保険制度改革を提案しているサンダース上院議員が駆けつけてくれた。

民主党の大統領選挙候補予定者が医療制度改革で激論を戦わせている最中に、悲劇は起こった。国境を挟んで、カナダのブリティシュ・コロンビア州の州都、バンクーバーに接するアメリカの町での悲劇だった。

「ジョーンズさん、待ってください。すぐに行きますから」

911コールを受けた通信担当者は必死だった。

「おれは今から死ぬ。家の寝室にいるから、来てくれ」

「待ってください。すぐに行きますから」

老人は長患いをしている妻の医療費を支払うことができなくなったので、妻を射殺して自分も死ぬと伝えてきたのだった。電話では自分たちが家のどこにいるのかを伝えた後、身寄りがないので一番の近親者の誰に連絡したらいいのかなどを書いた手紙を、部屋に置いておくと言っている。

老人の落ち着いた声にもかかわらず、通信担当者は胸騒ぎを覚えた。そして、繰り返した。

「待っていてください。すぐに行きます」と伝える途中で、老人は一方的に電話を切った。

老人宅に説得係官と警察官が着いたのは、十五分後のことだった。まず家のまわりをテープで囲んだ。このようなケースでは相手を興奮させないことが肝要だ。家に電話をかけた。応答はない。説得係官が拡声器を使って、老人に何度も話しかけた。しかし、コミュニケーションが取れない。ロボットカメラを家の中に入れた。老人が電話でそこにいると伝えていた部屋のベッドの上で、老人と妻が死亡していた。

ベッドのそばには、誰と連絡を取ればいいのか、なぜ自殺の道を選んだのかなどの手紙が残されていた。夫が病で倒れた妻を射殺した後、自らに拳銃を発射したことは間違いなかった。無理心中だった。ふたりの遺体の近くには、飼っていた二匹の犬が座っていた。

老夫婦の死を地元メディアだけではなく、全米のメディアが取り上げた。ふたりの名前を警察は公表しなかったが、全国紙ＵＳＡトゥディだけが自分たちで取材したのだろう。実名で報道している。亡くなっていたのは、ブライアン・ジョーズさん七十七歳と妻のパトリシアさん七十六歳だった。残された手紙には、妻の病が重く、医療費を支払う財源がないことを心配しているとあった。

夫婦の家はワシントン州のファーンデイルにあり、カナダの大都市バンクーバーまでは、車で一時間足らずのところだった。渡らなければならない川もない。妻の処方箋を持ってバンクーバー近郊への日帰りをすれば、悲劇を防げたのだろうか。薬だけの問題ではなかったのか。寝たきりの妻を置いていくことができなかったのか。それとも不治の病で、回復の見込みがないと考えたのか、すべてわからないままだ。だが、ふたりは老齢。高齢者用の保険、メディケアが適用できるはずなのだが……。

老夫婦が住む地区を管轄するワトコム郡のビル・エリフ保安官が記者に語った。

「ふたりが誰かに助けを求めることができれば、ふたりの死は避けられたはずだ。彼らはこの方法しか苦悩から抜け出す道はないと考えたのだろう。こんなことがこの国で起きてはいけない」

超大国アメリカで起きた老夫婦の悲劇は、車で一時間足らずで行くことのできる、医療制度の完備された隣国カナダに住んでいれば、起きることはなかったかもしれない。

学生ローン奴隷からの解放宣言

ロバート・スミスは、緑に包まれたキャンパスに集まった三九六人の青年たちを見渡し、一瞬空を見上げた。五月のアトランタの空は透き通るように青かった。眼の前の学生たちが、アメリカの未来を作るのだ。彼らのために自分は何ができるのだろうか？

ロバートの心の中に、何がわき上がったかはわからない。小学生時代、人種融合をすすめるために、黒人の学区から白人の学区へ生徒を通わせるスクールバッシング時代の通学バスのことを思い出していたのかもしれない。時代は変わり、黒人の自分が長者番付に載る時代になったが、人種を問わず生活に苦しむ人々の姿は増えている。

ロバートはマイクに向かい、学生たちに話し始めた。ジョージア州アトランタの伝統的黒人大学、モアハウスの卒業式で開式のあいさつを頼まれていたのだった。モアハウスはアメリカでは珍しい黒人男子校。黒人以外でも入学可能だが、在学生の九九パーセントが黒人の伝統ある大学だった。公民権法案ができるまでは、そしてできてからも南部では大学に黒人は入学できなかった。十九世紀末に黒人大学ができて今もその名前が残っている。

何がこの学生たちの未来に貢献できるのか……。

「この場にいる全卒業生の君たちが抱えている学生ローンの負債をすべて、私が引き受ける……」

ロバートがこの言葉を発すると、卒業生全員が立ち上がり、拍手を続けた。

「あなたはMVPだ」「信じられない」と叫ぶ学生が多数いた。それはスポーツ競技場でのスタンディング・オベーションの風景そのままだった。

それには理由がある。学生たちの多くは、多額かつ高金利の学生ローンを抱えていた。就職したとしてもローンの支払いをどうしていくのか、誰もが不安だった。大学院に進学する卒業生たちにとっては収入が確保できずに、ローンを続けなければいけないので、問題はさらに深刻だ。

ロバートが学生たちに約束したときに、卒業生たちの負債合計がどのぐらいか正確な数字はわからない。大学の学長がCNNに答えたところによれば、四千万ドルは下らないだろうという。四カ月後の報道で、総額は三千五百万ドルだった。学生一人平均で、八万八千ドル（日本円で約一千万円）近くのローンを抱えて、社会人生活をスタートさせる計算になる。

ロバート・スミス氏は黒人社会で飛び抜けた立志伝中の人物で、億万長者だった。学生たちのどよめきが収まってから、ロバートは言葉を続けた。

「私は八世代にわたり、このアメリカに住み続けてきた自分のファミリーに代わり、成功を目指して、君たちが乗り込むバスの車列に燃料を補給したい」

スミスの意味するところは、学生ローン奴隷からの「解放宣言」だった。リンカーンの奴隷解放宣言、黒人差別の中で「公民権運動」を進めたマーチン・ルーサー・キングJRの「私には夢がある」で始まるワシントン大行進での演説よりも、二十一世紀を生きる学生たちにはずしりと響いたかもしれない。ロバートは幼いころ、母に連れられてキング牧師の演説を首都ワシントンで聞いた。その母はこの場に出席している。成功してから、ロバートはキング牧師の生家を買い、博物館に寄贈もした。

二〇一八年の政府関係機関の統計では全米で学生ローンの負債を抱えている人は四千四百万人いるという。推定負債総額は、なんと一兆六千万ドル。二〇〇六年ごろから急速に負債総額が増えていった。学生ローンはローンであって、奨学金ではない。もちろん、奨学金は存在しているが、給付対象者は限られている。学生ローンは金利も高い。

消費者向けの金融としては、住宅ローンに続いて二番目の額で、クレジットカードや車購入ローンの総額を超えている。日本でお金を借りられない人に高金利で金を貸しているのがサラ金なら、あえて名前をつければ、「ガク金」とでも名付けたらいいのだろうか。日本でも学生ローンで検索すれば、業者のサイトがどんどん出てくる。

日本のはるか先をいっているアメリカでは、学生ローンを扱う金融業者が多数存在している。二〇〇八年のリーマンショックで、返済能力のない低所得者向けのサブプライムローンは下火になった。それとあわせるかのように、学生ローンがアメリカの金融界を練り歩き始めたのだ。

モアハウス・カレッジの卒業生たちは、富豪であり、慈善家のスミス氏に救いの手を差し伸べてもらえたのはさいわいだった。学生ローンの支払いに人生を支配され続けているアメリカ人は無数にいる。ローン奴隷の身分から解放された学生たちがアトランタのキャンパスで歓声を上げて、二カ月も経っていない七月のある日のことだった。アメリカのテレビ・メディアが、興味あるルポを流した。サウスカロライナ州のケイスで小学三年生のクラスを担当するメレディス・ブラックウッド先生の話だ。

彼女の一日は朝七時半から始まる。家に帰るのは、午後十一時を回る。過重労働が問題になる日本の教師たちのようだが、それは違う。学校を終えてから、隣町の製薬工場のパートで働いているのだ。三つ年上の夫チャンセンも同じ小学校で保健体育の先生をしている。メレディスの年収は三万六千ドル。夫は三万五千ドルだが、ふたりの給料を合せても、日々の支払いを賄うことができない。まだ支払いが済んでいないふたり合わせて年間一万五千ドルの学生ローンの支払いも重荷になっている。

サウスカロライナ州の教員の給与は、全米でも最下位を争うぐらいの低さだ。他の州に比べて、生活費が比較的かからないとはいえ低すぎる。ふたり合わせて七万ドルの年収だから、なんとかやっていけそうな収入だが、月々の支払いに追われてしまうという。襟のない医療関係者用の上っ張りを着て、頭にはビニールのネットをかぶったメレディスはその日の工場の指示でなんでもこなす。

メレディスは、放課後や夏休みの空いた時間には、学校で子どもたちの面倒を見る仕事をしている。夫は小学校での仕事を終えると、ハイスクールでフットボールのコーチをして、少しだが収入がある。それでも苦しいので、夫も同じ製薬会社で、パートで働き始めた。彼らばかりではなかった。小学校の隣町にある製薬会社がパートを募集したら、なんと五〇〇人以上の先生たちが応募して働き始めた。時給二一ドルの魅力には勝てなかったのだ。

サウスカロライナ州では、二〇一八年度に五千人以上の先生が辞めていった。公立学校では、先生が不足して一クラスの人数が増えすぎて、先生たちが正常に授業を進めるのが、難しくなっている。この年の五月には、大規模な抗議集会が州都で開かれている。

メレディスとチャンセンはなんとか学生ローンを払っていけるかもしれない。だが、学生ローンの地獄の底は見えてこない。今や人種を問わずアメリカ人が生きていくための最大の問題になっている。学生ローンを理由にした自己破産の方法を法制化する動きや、学生ローンの負債をどのように解決していくのかなどの情報は、どんどんインターネットで流れている。

二〇二〇年の大統領選挙では学生ローンをどうするのかが大きな焦点になっている。最左派のサンダース上院議員は、学生ローン全額の解消を公約にすることを考えている。ローンに苦しむ人たちを対象に借金を帳消しにする、日本でいえば、借金に苦しむ武士や農民を借金から救うために、鎌倉幕府が考え出した徳政令によく似た政策が二十一世紀のアメリカで現実味を帯びて語られている。

乾いた大地のパラダイス・ロスト

確かにそこにはパラダイスがあった。間違いなく、あの日の朝までは……。

カリフォルニアの青い空に向け、まっすぐ伸びた松の林に囲まれた家々。ハリウッドのスターたちが住む、海に面した絢爛豪華な邸宅ではないが、二世代、場合によっては三世代の家族が一緒に暮らすには十分な広さがある。なによりも、どこの家々も家庭が持つやさしさであふれていた。

その地が「パラダイス（楽園）」と呼ばれるようになった理由にはふたつの説がある。話は百年以上前にさかのぼる。鉄道の駅があったところに、酒場があった。ペア・オブ・ダイス・サルーン（Pair of Dice Saloon＝ふたつのダイス酒場）という。その名前を酔っ払った客が言ったわけではないだろうが、音がなまってパラダイス。

もうひとつは、近隣の町の町長が唱えているもので、彼の高祖父がシェラネバダ山脈のふもとにあるこの地に、蒸し暑い州都サクラメントからやってきたときに、「おお！　涼しい。ここはパラダイスだ」と叫んだからだという。どちらの説も実証されているわけではないが、この地に住む人々がこの名前をすごく気に入っていたのは間違いない。

木々に囲まれた自然の中で住みたいと思うのが大半のアメリカ人の夢。都会には住みたくないが、だからといって大草原にポツリと建つ家は嫌だ。だから郊外に木の香りのする家を建てて住みたい。そんなアメリカ人の気持ちをとらえたのだろうか。ここが自分たちの「パラダイス」と決めた人たちが移住してきた。多くは低所得者層だった。人口は急激に増え、一九七九年にパラダイスはビュート郡内で独自の行政権のある町になった。町の名前はもちろんパラダイス。近くに完全介護が可能な病院ができたこともあり、年金生活に入ったお年寄りたちも集まってきた。彼らのためのアパートもできていた。人口も二万七千人を超え、幸せいっぱいの町だった。町といっても広さは四三平方キロ。沖縄県の那覇市より一割ほど大きい。

だが、彼らのささやかな幸せを焼き尽くす「あの日の朝」がやってきてしまった。

二〇一八年十一月八日、午前六時三十三分。パラダイスがあるビュート郡警察署の911に、郡の北にあるプルガで野火が発生したとの電話があった。その日は強い風が吹いていた。消火のためにヘリなどの航空機は利用できなかった。また、消防車を派遣するには、火が発生した地点にたどり着くまでの行き止まりの道は狭く、車両が閉じ込められる危険性があった。それから四時間後、直線距離にして二〇キロ近くは離れていたはずの小さな野火は、煙が空を覆いつくす大火となりパラダイスに到達。町のほとんどを焼き尽くしていた。二地点の間には人が住む町と、さらには深い渓谷があった。だが、火は深い渓谷の斜面を駆け上がった(注)。

山火事の発生場所の地名キャンプ・クリークから、人を楽しませるはずの「キャンプファイアー」と皮肉にも名付けられた最悪の山火事はこのようにして始まった。

実はカリフォルニア州では山火事は日常茶飯事といえるぐらいの頻度で起きていた。同時進行的に別々の場所で起きている場合もある。そのために山火事と言っただけでは、どの山火事かわからないので、大きな山火事にはそれぞれ名前を付ける必要があるのだった。

カリフォルニア州では干ばつが何年も続いていた。多くのパラダイスの住民は青い空を毎日見上げて、冬になったら嵐が持ってくる雨のことを思っていたのに違いない。悲劇の前年

(注) https://www.usatoday.com/story/news/nation/2019/07/11/paradise-california-population-camp-fire-california-wildfire-fund/1710525001/

にも、山火事がパラダイスの町に迫ったことがあり、警察当局は万が一の場合に備えて、住民の避難計画を立てていた。

カリフォルニア州史上最悪の大火「キャンプファイアー」は、日本のメディアを含めて世界のメディアが取り上げた。大火から一年経ったときに、メディアの特集記事が多数出ている。アメリカの公共放送ＰＢＳも、映像と現場にいた人たちのインタビューを集められるだけ集めて、一時間の特集番組を編集、「Fire in Paradise（パラダイスの大火）」と題して放映した。

インターネットで見たその映像は、大火の始まりの小さな野火の空撮から始まっている。空撮なので正確な大きさがわからないが、この程度の火であればヘリからの放水一発で消せるはずだと思わせるぐらいの小さな火だった。空撮ができるぐらいだから、消火ヘリが飛べるだろうと思うのは、素人考えだろうか。確かに低高度で燃え盛る木々に水をかけなければならない消火ヘリは飛行できなかったのかもしれない。火はあっという間に広がった。野火の発生が通報されてから、時間をおかずに、かなり離れたパラダイスの北東部の住民への避難指示を警察当局は出している。

ＰＢＳの当日撮影された映像を見て、最初は、まったく理解できなかった。パラダイスが焼失したのは、午前中のはずだ。パラダイスから避難する車から携帯で撮影した映像も、消防隊やパトカーが撮影した映像も、どれもが「真夜中」の映像なのだ。まさか午前中に焼失した町から、夜になって脱出する。あり得ない。闇の中に、木々に燃え移った火が至るところに赤く見える。車のヘッドライトがその闇に浮かぶ道を照らす。その中を大きな豆粒のような火の粉が横殴りに飛び交っていく。

どう見ても、それは夜間に撮影されたもののようなのに、山火事発生から、二時間後などという文字が、映像下につけられている。家々の消火作業なども、真っ暗な電気のない夜に行われているとしか見えない。これらの映像はカリフォルニアの朝に撮影された。なぜ青空が見えないのか……。

番組の最後のほうの、逃げ延びた人が撮影した映像を見たときに、なぜだかがわかった。町を脱出したときに、山火事の煙が空を覆いつくしていたからだった。モンスターのように長く、そして分厚い黒雲の下から脱出した直後に、車の上に広がる青空の映像が撮影されていたのでわかった。

「キャンプファイアー」は折からの風速三〇メートル近い強風にあおられて、帯状に広がった。焼失面積はなんと東京二三区全体の面積に匹敵する。パラダイスの住民を含めて五万人が避難。一万八千戸以上の家屋が焼失した。パラダイスで焼失を免れた家屋は五パーセントもなかった。多くの住民が路頭に迷うことになった。縦長に伸びた煙は衛星写真でもはっきりと確認できるぐらいの長さだ。

なぜこのような被害が出てしまったのか。五年間続いた干ばつがその大きな原因であることは間違いない。一定方向に吹き続けた強風のせいもある。年平均気温が二度近く上がっているカリフォルニア州の気候変動を理由にする人たちもいる。

大火当日の映像を改めて見ると、無数の火の粉が横殴りに飛び交っている。カルフォルニア北部の丘陵地帯には、アメリカ特有の松の木が無数に自生している。曲がりくねった枝が伸びる日本の松とは違い、空に向けてまっすぐ伸び上がり、杉の木のように枝葉が両脇に生えていく。当然だが、常緑樹。乾ききって、脂分を含んだ先のとがった松葉は燃料にするぐらいによく燃える。秋には樹脂を含んだ松ぼっくりが枝の間を埋めている。この松ぼっくりたちは、山火事が起きれば固いかさを開いて、木の種子をまき散らす。

松ぼっくりはキャンプファイアーや暖炉に火をつけるときに利用されるぐらいに火がつきやすい。映像に写っていた、水平に飛び交っていたゴルフボール大の火の粉はこの松ぼっくりではなかったのか。それが火の急速な拡大の一因ではないか。これも現場を見ていない素人の考えだ。

大火から一年のメディアの特集は、一様に復興の進まないパラダイスの町を撮影している。テレビのリポーターが焼け落ちたマクドナルドの店の前でマイクを握っている。店舗は原型をまったくとどめずにいる。近くには燃えた車が何台もそのまま放置されている。「あの日」から時間が完全に止まっているかのようだ。

焼け落ちた我が家の残骸の中から、あのころの幸せだった生活の思い出を探す女性の姿もある。まるで戦場のようだと語る老年の男性の声は、低空から撮影されたパラダイスの姿と一致している。戦場というよりも、木造の家屋がすべて焼け落ちた、東京大空襲の後のようだと言ったほうがいいかもしれない。しかし、第一印象で判断するのではなく、よく見ていくと違いがある。

木造の家屋が燃え尽きた後にコンクリートの土台部分が並ぶ家屋跡の周りには、枝がまだ残る木々が垂直に立っているところがかなりある。乾ききった幹がまだ燃えないのは、丸太づくりのログハウスが燃えにくいことで説明できる。だが、細い乾ききった枝までどうして燃えていないのか。葉っぱらしきものがついた枝もある。だが、そばの家は完全に燃え尽きて、コンクリートの土台しか残っていない。墓石のない墓場が並んでいるかのような風景は異常だ。

「キャンプファイアー」がカリフォルニア史上、最悪の山火事であるのは、死者の数が圧倒的に多いからだった。当初、八六人といわれた焼死者が、八五人になった。死者の多くは六十歳以上のお年寄りで、大多数は自宅で焼死した。何人かは自宅近くの車の中で死んでいた。自宅があった場所で、と言ったほうが正確なのだろう。本人であることを確認できる遺体が発見されたわけではない。火が下火になった二週間近く後に、燃え尽きた現場から遺骨が収集された。八六人と当初数えられた遺骨のひとつが、同一人物のものであることがDNA鑑定でわかり、八五人の犠牲者と訂正されたのだ。

大惨事を引き起こしたのは、皮肉にもカリフォルニア州最大の電気・ガス供給会社PG&EだRった。火災発生当時から言われていたが、高圧電線網を支える金具が折れ、地面で高圧電線から発生した火花が付近の乾いた草などに燃え移ったのが原因だった。同社は二〇一九年十一月に原因となったことを正式に認め、謝罪している。同社は二十年近く、高圧電線を支えている鉄塔の点検を行っていなかった。なんと二〇一七年の山火事でも発火原因となったことを、損害賠償請求の法廷でも明らかにしている。

出火原因も、火が広がった環境もわかっている。悲劇の中の人間ドラマに焦点を当てようとするメディアが多かった中で、当時火災を免れた家族と家屋をいくつかのメディアが取材している。

パラダイスにあるムーア夫妻の家は、焼失した向こう隣の家と車が二台通れるほどの道を隔てているだけだ。二人の家は大火前そのままで今もある。なぜ？　まず二人は火災シーズンの前に、広い屋根全体の耐火処理を施した。家の周りある燃えやすいものをすべて処分していた。飛び火による延焼を防ぐためだった。その日、夫妻は水ポンプを始動させ、屋根などに水をかけた。二人のような防火対策を施した家族をいくつかのアメリカメディアが取り上げて報道している。それぞれの状況は違うだろうが、少なくともパラダイスでは五パーセントの住宅が延焼を免れている。不思議だ。

カリフォルニア州では山火事が二十世紀の初頭から問題になっている。統計によれば、

「キャンプファイアー」の起きた二〇一八年には八〇五四件の山火事が起き、百八十万エーカー以上の土地が焼失した。焼失面積は日本の静岡県とほぼ同じ広さだ。

数字がここまで大きくなると、「キャンプファイアー」の悲劇が小さく見えてしまいそうだが、焼失した建物数と死者数では、アメリカの山火事史上では、被害が最大なのだ。驚くべきことに、「キャンプファイアー」が鎮火したのは、火災発生から二週間近く経って、この地方を襲った冬の嵐が、三日間にわたり多量の雨を降らせてからだった。

カリフォルニアドリームを夢見て、「パラダイス」に移住してきた、決して豊かではない人たちの生活を根こそぎ奪った山火事への抜本的な対策はない。

ハイテク企業が集まり、英国を抜いて世界第五位の経済規模を誇るカリフォルニア州だが、強風が吹くと電力の供給が止められ、百万人単位の人たちが電気のない十九世紀の生活に戻されることが日常になってしまった。それでも山火事は止まらない。統計数字を見れば、一日に約二〇の地点で山火事が毎年起きている。

日本と同じ面積に約四千万人が住んでいるこの「国（State）」（カリフォルニア州）の未来は赤々とした山火事の美しい光に照らされて、とても暗い。

戦争を続ける国の戦死者たち

アメリカでは新学年を迎える直前の八月だった。アメリカ軍人と家族向けのニュースサイト「ミリタリー・ドット・コム」に、若い高校生と軍服姿の父親の写真が掲載された。林の中で父親と向かい合ってベンチに座る美しい女性の名前はジュリア・イレスカス。だが、なぜか彼女を見つめる戦闘服姿の父親の写真は、林の木洩れ陽を通して、薄く透けて見えている。写真は合成写真だった。陸軍の大尉だった父親はジュリアが七歳のときに、アフガニスタンで戦死している。道路に仕掛けられた爆弾で負傷。苦しんだ末に命を落とした。二〇〇八年のことだった。

ジュリアは、成長してシニア（高校三年生）になった自分の姿を、生きている父に見せたかった。卒業アルバム（シニアブック）のスナップショットを撮影しているスザンヌに相談すると、合成写真を作って、フェイスブックに投降してくれた。ジュリアはこの写真は、父の住む天国から天使が持ってきてくれた写真だと思っている。

スザンヌはそのとき、ジュリアが父の制服姿の遺影を手にした普通の写真も撮影してくれた。この写真は卒業アルバムに掲載される。このアルバムがある限り、戦死者は家族の心ばかりでなく、地域の人々の中で生き続ける。アフガン戦争は米国史上「最長の戦争」との修飾語がいつもつく。ジュリアの父はその戦争の戦場とも言えない道路の上で戦死した。「倒れし者（the fallen）」として人々の尊敬は受けたが、七歳だったジュリアはそんなことよりも、ただ父に生きていてほしかった。もう一度抱きしめてもらいたかったのに違いない。戦争を続ける国アメリカにはジュリアのような子どもたちが無数にいる。

アフガン戦争は、ニューヨークのワールドトレードセンタービル・テロ攻撃事件の首謀者をイスラム過激主義のアルカイダと断定したことで、二〇〇一年にアルカイダの拠点となっているアフガニスタンに大軍を派兵したのが始まりだ。

アフガン戦争を開始したブッシュ大統領はイラクのフセイン大統領の核開発を止めるとして、「イラクの自由作戦」も二〇〇三年に開始している。しかし、イラクは核を持っていなかった。父親のブッシュ大統領は、イラクのクウェート侵攻を受けて、フセイン体制破壊のためにデザートストーム作戦を始めた大統領だ。パパ・ブッシュとも呼ばれている。米海軍の空母「エイブラハム・リンカーン」の艦上で、「使命は達成された」と声高々に叫んだ息子のブッシュ大統領だが、大きな戦闘もないままにイラク戦争は泥沼化していく。テロ攻撃による米軍兵士の戦死者は増え続けた。

反戦活動家を含めたリベラル派の支持を集めて、オバマがブッシュの後の大統領になったが、アフガンとイラクでの戦闘は続いていた。オバマはキューバの永久的米軍基地、グアンタナモにブッシュが設営したグアンタナモ収容所を非人道的であるとして、当選後二カ月で閉鎖すると公約していた。アフガンなどからテロリストと疑った人間たちを、逮捕令状もなく捕まえては、アメリカ国内法も国際法も適用されないところに収容して取り調べを行っていた。拷問があった。

オバマは公約を果たせずにいた。人気回復の手段としてオバマはイラクからの全面撤退を実行した。一方で、オバマは膠着状態の続いていたアフガニスタンへの増兵を実行し始めた。弱虫の大統領ではないことを見せたかったのだろう。ノーベル平和賞をもらったオバマは、八年間の任期中に戦争がなかったことのない唯一のアメリカ大統領で、ドローンを使った中東での一般市民の殺害者数はオバマが記録を持つ。

アメリカのメディアは当時「アフガンはオバマのベトナムになるのか?」と報じた。ベトナムにはならなかった。そのかわり、勝つことも負けることもできない乾いた砂漠のアリ地獄から、トランプの時代になってもアメリカは抜け出せずにいる。

いったいアメリカは建国以来、どのぐらい戦争をやっているのか。

カーター元大統領が意味深な発言をしている。二〇一九年の四月にカーターの故郷、ジョージア州プレーンであった日曜礼拝での講話だった。カーター元大統領は言う。

「アメリカは建国二百四十三年の歴史の中で、国として戦争をしていない年月は十六年間しかない。小さな軍事侵攻などを戦争に含めれば、戦争がない歴史はわずか五年しかない。戦争をしていない大統領は自分だけだ」

カーターはイランのアメリカ大使館占拠事件で人質解放のために、ヘリコプターで軍をテヘランに向かわせたが、荒天のためにヘリは墜落した。もし、ヘリがテヘランに到達できていたら、大使館での戦闘だけでなく、ペルシャ湾に派遣していた空母からの艦載機によるイラン攻撃は間違いなくあっただろう。

カーターの発言を確認するために、「アメリカの戦争」で英語検索してみる。びっくりする。名前さえ知らない戦争がずらりと並んでいる。沖縄戦での悲劇、ふたつの核爆弾を受けて集結した日本との戦争はその中のひとつでしかない。戦死者の統計はある。だが、それらの戦争でどれだけ相手を殺したのか、戦火に巻き込まれ、どのぐらいの市民が死んだのかなどの数字は皆無だ。

戦病者を含め、戦死者が一番多いのは誰もが第二次世界大戦と思うだろう。それは違う。第二次世界大戦で、アメリカ軍は四十万人以上の戦死者を出している。大日本帝国軍は太平洋戦争だけで、二百万人の戦死者を出している。多くは餓死者だ。ではアメリカのどの戦争が一番多くの戦死者をだしているのだろうか。それは日本では南北戦争と呼ばれている米国の内戦だ。戦死者は南北合わせて、六十万人以上。戦争に巻き込まれて死んだ多数のアメリカ国民の数は含まれていない。

アメリカは戦死者数に異常にこだわる。ジュリアの父親を含めて、米国史上最長の戦争、アフガン戦争でのアメリカ軍の戦死者は二千人を超えているだけだ。年間約七千人の退役軍人が生活に絶望して自殺していることと比較すると、極めて少ない戦死者だ。

この国が共産主義になれば、いずれ共産主義が世界を支配するというドミノ理論に基づいて、南ベトナムを死守しようとしたアメリカだが、戦死者が五万人を超えた時点で当時のニクソン大統領はベトナムからの撤退を考えたという。それまでに百万人単位で南北ベトナムの市民が戦火で死んでいるはずだ。

戦死者が増えることを極端に恐れるアメリカはどうして、戦争を続けられる国になったのだろうか。それは戦争を続ける国のアメリカ市民が戦争の悲惨さを知らないからだ。戦争反対の声は、戦死者を讃える栄誉礼に打ち消されてしまう。

戦争を戦った兵士たちは戦争の悲惨さを知っている。兵士の家族にとって、戦争とは生きていた父や母や子どもたちが突然いなくなり、星条旗にくるまれた棺を出迎えることだ。運良く死ななくとも、重い障害とともに生きなければならない帰還兵がたくさんいる。その帰還兵と暮らす家族にとって、戦争の悲惨さは永遠に続く。

イギリスとの戦争、南北戦争以外には、一般市民を巻き込んだ戦争をアメリカは経験していない。一方で、アメリカが戦った戦争は必ず、相手国・地域の市民の悲惨な死を引き起こしている。五万人の戦死者を出したベトナム戦争では、周辺国と南北ベトナム合わせて数百万の犠牲がでているだろう。戦争が拡大したラオス、カンボジアでの犠牲を含めれば、アメリカ兵の戦死者一人につき、百人近くの現地住民の犠牲者がでていることになる。

日本人はどうか。日本も明治維新以来、国外で戦争を続けてきた。「君死にたまふことなかれ」と歌った歌人が後に、戦争遂行の役割を鼓舞していった。沖縄戦、東京大空襲、広島、長崎の原爆投下では、推計四十万人以上の犠牲がでている。ヨーロッパ、ソ連では千万単位で戦場になった町や村での犠牲者が出ている。

ジュリアが亡き父との夢の写真を撮ってもらってからのことだった。一人の「倒れし者」が、息子の操縦する民間機に載せられて、アメリカに帰ってきた。ベトナム戦争のさなか、ラオスで戦死したパイロットの遺骨が確認されたのだ。幼子だった息子はとうに成人して、民間航空会社のサウスウェスト航空の機長をしている。息子の飛行機に乗せられた父の棺は星条旗でくるまれ、到着したワシントンの軍用基地で、軍楽隊と儀礼兵の栄誉礼を受けた。

戦争をし続ける国アメリカで、「倒れし者たち」の無言の帰国が途切れることはない。無数の家族の悲しみも……。

自死を選ぶ軍人たち

ネバダ州の州都カーソン・シティーの体育館。州都と言っても人口五万人ちょっとの都市だ。ギャンブル産業で繁栄するラスベガスや、近くにあるギャンブル都市リノのような派手な豊かさはない。民主党大統領予備選に向け、サンダース上院議員が討論集会を開催していた。議題の中心は、サンダースが選挙公約に掲げているメディケア・フォー・オール（国民皆保険）だった。

参加者からの質問時間になった。一人の退役軍人が立ち上がり、マイクを持って話を始めた。

「私はトライケアを失った。十三万ドル以上の医療費が請求されている」

サンダース上院議員は、主催者に手渡されていた彼の請求書を見て、ジョンと自己紹介した退役軍人に尋ねた。「十三万九千ドルと書かれている。どうやって支払うつもりなのか」と、いつもの冷静な口調だった。

ジョンは答えた。

「できない。できるわけがない。私は自殺するつもりだ」

「やめなさい。待ちなさい！　自殺などすることはない。このタウンホール集会が終わったら、二人で話をしよう」とサンダースはその場を引き受けた。

ジョン・ウエイゲルは二十年間海軍で軍務についていた。艦船に乗りクウェート、ソマリアにも派遣されている。五十八歳のジョンは、脳に障害が起きる難病ハンチントン病の第四期に入っている。

トライケアとは、アメリカ国防厚生管理本部が所轄する現役軍人、州兵（ナショナル・ガード）、予備役、退役軍人の健康管理と医療サービスを提供しているサービスの名称で、対象者の家族も受益者に含まれている。ジョンはどういうわけか、解除を申請していないのにトライケアの対象からはずされていた。手続き的なミスがどこかであったようだった。サンダースは関係する役所と連絡して、なんとか問題を解決して、一人の退役軍人が自死するのを防いだ。もちろん、脳の障害が悪化して、いずれ死に至る病からジョンを救ったわけではない。だが、治療も受けられずに、絶望して自死しようとするジョンの魂は救えた。

戦地で生死の境を生き延びてきた軍人たちが、なぜ生きることを捨て、自殺を考えるのだろうか。七千人近くのアメリカの退役軍人が、毎年自殺している。一日の自殺者二〇人以上という退役軍人局の統計がある。六割は銃を自らに向けての自殺だ。その数は、全米で自殺する人間の約六分の一を占めている。それればかりではない。全人口比に占める自殺者の割合と、退役軍人の総数に占める自殺者の比率を比べると、一般の人に比べて、退役軍人の自殺率は倍近くになる。

なぜ退役軍人は自殺するのか。人は自らの「生き死に」を選ぶ権利はある。自死も尊厳死も日常社会では人生の選択肢のひとつだ。しかし、戦場ではそうではない。自分では選べない生死と隣り合わせで、いつも死が日常に存在している。今日の朝焼けはきれいだな、故郷ネバダの砂漠でも見たことがある……。アフガニスタンの荒野を走るハンビー装甲車から朝焼けを眺めて、若者が故郷に思いを馳せた瞬間、道路に仕掛けられた爆弾にやられることもある。意識があればまだましだが、自分の死を意識しないで、死んでいく兵士が大多数のはずだ。それが戦場だ。

自殺はアメリカ人の死亡原因の一〇位にある。「自殺は健康問題である」と認識した退役軍人局が統計をとって調査を行った。アメリカのメディアも独自の調査報道をやっている。なぜ自殺したのかは、遺書を残さない限り、本人だけが知っている。遺書があったとしても、本当の原因は別にあるかもしれない。調査である程度わかったのは、退役してホームレスになっている軍人の自殺率が高いこと、脳の外傷や心的外傷後ストレス障害（PTSD）、うつ病、統合失調症なども原因となっていると考えられている。年齢的には五十代の自殺者が多い。

だが、現役の若い軍人たちにも自殺は存在する。二〇一二年の統計では、世界各地での戦死者が一七六人に対し、一一七人の軍人が自殺している。米軍が組織的な戦闘をやめ、同盟国の兵士を援助する戦争の形が定着する中で、戦死が少なくなっているとはいえ、異常な事態だ。

軍隊経験が心的な負担になるとしても、個々人で差がかなりあるのは間違いない。民主党の大統領予備選候補にはアフガン戦争に派兵された人物が二人いた。従軍経験を政界進出へのきっかけにする人もいる。だが、軍隊生活で体ばかりでなく、心を病む若者も多数いる。

一方、退役軍人のホームレスの数も半端ではない。約五万人がホームレスになっている。

五万人という数字は一個軍団に匹敵する。自殺者を約七千人とすると、一個旅団。つまり、米軍は一個軍団のホームレス部隊をかかえ、一個旅団が毎年自殺していることになる。これが世界最強の軍隊の暗い実態だ。

平和ぼけした日本とは関係のない対岸の火事のように感じられるが、とんでもない。世界最大規模の駐留米軍約五万人を抱える日本には、軍人たちの自殺に象徴されるアメリカの暴力性が忍び寄り、いつ、誰かのドアをノックしないとは限らない。

アメリカにはマーダー・スーサイドという犯罪用語がある。マーダーは殺人、スーサイドは自殺だ。人を殺して、自分も死ぬ。日本語では「無理心中」という言葉が、重病の妻の首を締めて、自分も自殺する場合などによく使われるが、アメリカでは圧倒的に相手を憎んで殺し、そして殺人を犯した自分に絶望して、その後に自殺するケースが多い。

そのアメリカの悲劇が沖縄県北谷町の普通のマンションを襲った。二〇一九年四月十三日、土曜日の早朝だった。沖縄海兵隊所属の海軍兵曹が女友達のマンションの玄関を叩いた。女性は昨年秋から付き合っていた男性の暴力が、とことん嫌になっていた。ドアを開けるつもりはなかったのに、間違えてロックをはずしてしまった。押し入ろうとする男を拒むと、男は自殺すると騒いだ。仕方なく女性は男を家に入れてしまった。それが生死を分けた。女性はシングルマザーで、ちゃんとした仕事に就いていた。七歳の娘と十一歳の息子との三人暮らしだった。

それからの詳しいことはわかっていない。兵曹は女性を刃物で刺し殺した後、自らにも刃物を向け自殺したらしい。騒ぎに気づいたのだろう。別の部屋にいた娘が、別のところで暮らしている父親に電話、警察を呼んでほしいと頼む。すぐに駆けつけた警察官が女性の部屋で死んでいる二人を発見したときには、朝の七時を回っていた。

女性を刺した犯人は、ガブリエル・オリベーロ米海軍三等兵曹、三十二歳。沖縄海兵隊の精鋭部隊である第三海兵偵察大隊に属していた。

地元紙の琉球新報と沖縄タイムスばかりではない。米有力紙ワシントンポスト、ニューヨーク・タイムズや準米軍紙スター・アンド・ストライプはもちろん、英国、オーストラリアなどのメディアも大きく取り上げている。ロシア・テレビの英文サイトも、「米海軍兵が沖縄でマーダー・スーサイド」と速報した。全世界に展開する米軍の一大拠点になっている日本、特に沖縄での米軍の犯罪は、日米関係が世界の軍事情勢に大きく影響を与えることから大きく報道されるのだった。

それから、五カ月ほど経った九月十一日付けの米海軍軍人と家族を読者とする新聞、ネイビータイムズが、犯人のオリベーロ兵曹のパソコンの検索記録を解析した海軍調査官の一〇二ページの報告書を入手した。この痛ましい殺人を防ぐことはできなかったのかと、死の予兆を探っていたのだった。

沖縄に来てから、彼がどのように生きてきたのか。殺した女性とはどのような関係だったのか、愛が憎しみにどうして変わっていったのか、犯行にいたるオリベーロ兵曹の心理状況も記載している。「人間は誰でも死ぬのだ……心配することではない」という衝撃的な見出しで記事は始まっている。

オリベーロは、二〇一六年の秋にノース・カロライナ州から沖縄に赴任した。死亡した二〇一九年には三十二歳と発表されているので、まだ三十前の青年で、アメリカ第三海兵師団第三偵察大隊に配属されたことを誇りに思っていたことだろう。第三偵察大隊はリーコンと呼ばれ、陸軍のグリーンベレーや海軍のネイビーシールズとともに、優秀な戦士たちが抜擢される海兵隊のエリート部隊だ。敵地に潜入して少人数で偵察活動をするリーコンには、必ず一人の海軍の衛生兵や医官がつく。戦場で傷ついた海兵隊員に治療を施すためだ。

オリベーロは過酷な訓練を受けながら、沖縄のエメラルドブルーの海を見ながら、恋をした。相手は一回り年上の沖縄の美しいシングルマザーだった。彼女の名前は、タマエ・ヒンドマン。日本国籍だが、離婚したアメリカ人の夫の名字を使っていた。殺されたときは四十四歳だったが、報道された写真は三十代前半にしか見えない。大好きだった彼女をオリベーロは殺した。

タマエは、オリベーロに会うために、キャンプ・シュワブを何度も訪れていた。この素敵なカップルは結婚するのではないかと同僚たちがうわさしていた。だが、破局への引き金はまずオリベーロが引いた。彼は別の日本人女性と親しくなってしまったのだ。タマエは怒った。だが、彼女も時間をおいてから、あてつけのように彼が居住するキャンプ・シュワブに所属する米軍属とデートを始めた。その姿をオリベーロは目撃している。

二人の関係は危うさを抱えながら、しばらく続いたようだ。しかし、オリベーロが彼女のアパートに押し掛け、家の家具を壊す事件や暴行が続き、彼女はアメリカの憲兵隊や沖縄の警察に通報していた。憲兵隊は、オリベーロに外出規制をかけた。そのころからだろうか。明るかったオリベーロが、「死にたい」「彼女を殺したいが、彼女には家族がいる」などを繰り返すようになった。オリベーロはアメリカにいる父母、兄弟などの身内に「苦しい。死にたい」と苦痛を語るようになっていた。母親はすぐに息子の異変に気づいた。

惨劇が起きる何日か前に、母親ははるばるアメリカからやってきて親子で民泊していた。海兵隊も母親のことを考えたのだろう。オリベーロに外泊許可を与えていた。だが、民泊先は彼女のアパートまで歩いて行ける距離で、あまりに近すぎた。惨劇の前日、オリベーロは彼女のアパートを訪れている。ドア越しに言い合うが、その夜は午前一時ごろ、母親のところに戻った。

惨劇の朝、午前五時に宿を出ていく息子に、絶対に彼女のところに行ってはいけないと母は伝えた。最愛の息子の精神状態がパニックを起こしていることはすぐにわかった。「わかった」と言って彼は出ていったが、その後ろ姿が生きている息子を見た最後だった。

パソコンに残された検索記録には、「頸動脈を切ると、人間はどれぐらいで意識を失うのだろうか？　どれぐらいで死ぬのだろうか？」などの、不気味な言葉が並べられていた。

彼女のアパートに押し入ったオリベーロは、タマエの頸動脈をナイフで切りつけた。検死では、タマエの手には防御創がかなりあったという。その後、オリベーロは動脈のある自らの股の両側の付け根をナイフで刺した。警察官が駆けつけた時に、ふたりはベッドの上で並んで失血死していた。血まみれのナイフは彼女の側に置かれていた。七歳の娘さんは惨事を目撃していた。娘さんの心のケアが気になる。

この事件を男女のいさかいの結果というのは簡単だが、それだけなのだろうか？

この沖縄での悲劇からまだ一カ月も経っていない五月九日、木曜日の深夜だった。アメリカ海軍佐世保基地に隣接する市民公園で、一人の若者が死んでいた。頭に銃創があった。拳銃による自殺と断定された。若者の名前はチェイス・エドワード三等兵曹、二十一歳。テキサス州の出身で、三年前に佐世保を母港とする揚陸強襲艦ワスプに配属されていた。自殺に使用した拳銃は、エドワードが管理に携わる佐世保の武器庫から持ち出したものだった。遺書はない。自殺は第六艦隊の母港、ノーフォークでも続いた。空母ジョージ・H・W・ブッシュの乗組員三人が自殺。すぐに四人目の海軍兵士が自殺した。乗船していた空母の点検のために船を降りているときのことだった。

戦争を続ける国アメリカの将兵の間に、自殺症候群とでも呼べる事態が進行している。日本で自殺した二人の若者の名前は、米軍の二〇一九年の自殺者リストに掲載される。

第五章

黄昏《たそがれ》から闇夜へのアメリカ

陽気なエノラ母さんが運んだ爆風

彼女の名前は知らなくとも、陽気なエノラ母さんに出会った日本人は少なくとも十万人以上はいる。しかし、その記憶をとどめている人はもはや数少ない。間近で彼女を見上げた多くの人は、それから間もなく、記憶を持てない体になっていた。朝日を浴びながら座っていた階段に影だけを残して、消えてしまった人もいる。

一九四五年、八月六日。エノラ母さんは遠く西太平洋のテニアン島からやってきた。リトルボーイという悪ガキを連れて……。

残念ながら、今も多くのアメリカ人は、広島への原爆投下をこのように考えている。

エノラ母さんの名前はエノラ・ゲイ・ティベッツ。ゲイはエノラの結婚する前の旧姓。アメリカではゲイの姓を持つ人がたくさんいる。有名な歌手もいる。また、ゲイは一般的な形容詞で、「陽気な」とか「明るい」という意味がある。

エノラ・ゲイ（陽気なエノラ）の名前を世界的に有名にしたのは、息子のポール・ティベッツだった。ポールはアメリカ陸軍航空軍の爆撃戦隊を指揮する陸軍大佐で、パイロットだ。

一九四五年八月六日未明、核爆弾投下用に特別に改造されたB29戦略爆撃機を自ら操縦してヒロシマを目指すため、操縦室に乗り込んだ。歴史的なフライトになるからだろうか。操縦室の窓をスライドさせ、記念写真を撮った。狭い窓から顔を覗かせ、片手を振るポール。フラッシュの光は、操縦室の下の機体部分に斜めに描かれた、「Enola Gay」の黒い二行の文字を浮かび上がらせた。(注)一つひとつの文字は、ポールの顔よりかなり大きなものだった。だが秘密保持のためなのだろう。文字の書き込みは短時間で行われたようで、文字に部分的な濃淡があるのが、残された写真でわかる。

ポール・ティベッツの母親の名前が付けられた「エノラ・ゲイ」はサイパン島の北に位置するテニアン島の飛行場を飛び立った。六時間後、エノラ・ゲイは乗組員を乗せて、広島上空に達していた。日本軍は航空兵力をほとんど失い、迎撃機に襲われることもない。高高度で飛行するＢ29に届く、高射砲もない。後にストレート・フラッシュと名付けられた別のＢ29機から、広島の天候は晴れ、爆弾投下に問題なしとの無線連絡が入っていた。

それからどのぐらい時間が経ったのかはわからない。高高度から見た広島市に細長いキノコ型の白い核の煙があがる。

これは実験ではなかった。それまでパンプキンと呼ばれる核模擬爆弾を、日本のいくつかの都市に実験的に投下している。今回は違う。本物なのだ。人類初の人間を殺すための核爆弾を投下したポールは、投下の瞬間に何を思っていたのだろうか。自分が愛する母エノラの名前をつけた機体の下では、愛する子どもたちと死んでいく無数の日本の母親たちがいた。

エノラ・ゲイは一五機ある原爆投下用に改造された、「シルバープレート」とコードネー

(注) https://www.afpbb.com/articles/-/3056552?page=1&pid=16282539

ムをつけられたB29のうちの一機だ。一五機合わせて、原爆投下を目的とする第三九三爆撃戦隊を編成していた。ポール・ティベッツ大佐は爆撃戦隊の司令官だった。広島に原爆を投下したのは、エノラ・ゲイ一機だけだが、六機のB29が原爆投下任務についている。

広島へ飛行したのは、観測器材を搭載した「グレート・アーティスト」、写真撮影を担当した「ネセサリー・イーブル」。広島の天候偵察の「ストレート・フラッシュ」。「ジャビット三世」は小倉の天候偵察、「フルハウス」は長崎の天候偵察を任務としていた。さらにもう一機、「トップ・シークレット」は、エノラ・ゲイのバックアップ機として、硫黄島に待機していた。アメリカは戦後のことを見据えて、原爆投下を是が非でも成功させたかったことは間違いない。この日、広島の天気が曇りであれば、人類初の原爆投下地点は小倉か長崎になっていた。

編成当時、エノラ・ゲイ以外の爆撃機にはニックネームはつけられていなかった。エノラ・ゲイが命名されたのも原爆投下直前の八月五日で、本来は機長を務めるはずだったロバート・ルイス大尉は、司令官ティベッツの母親の名前がつけられたことに、不快感を示したという。残りの一四機に名前がつけられたのは、作戦が成功した八月九日以降のことで、機首部分へ名前が描かれたのは、戦後アメリカ本土に機体が戻った後のことだった。

エノラ・ゲイは長崎の原爆投下にも関わっている。八月九日の当日、小倉の天候観測を行っていたのだ。プルトニウムを使用した原爆ファットマンを投下したB29は「ボックスカー」と名付けられている。人類史上、初の原爆投下攻撃に参加した改造されたB29は戦後、アメリカに全機が戻った。

エノラ・ゲイはアメリカ本土の基地に戻された後、機首の名前をきれいに消され、今はワシントンダラス空港そばの、米宇宙航空博物館別館に展示されている。エノラ・ゲイの息子で原爆を投下したポール・ティベッツ大佐は、後にアメリカ空軍准将にまで上り詰めて退役している。

ポールは人類で初めて、実戦で核爆弾を投下した機長として、何度もメディアの取材を受けている。悔恨の念を示すことよりも、長引く戦争を終わらせることに寄与したと、自分のやったことに誇りを持っていた。一方で、面会に訪れた広島からの被爆者の手を握りしめて離さなかったとの報道もある。二〇〇七年、ポールは死去した。

母親のエノラはだいぶ前に天国に召されている。息子は亡くなったが、エノラ母さんは首都ワシントン郊外の博物館の中で生き続けている。B29爆撃機「エノラ・ゲイ」は、戦争を終わらせるために原爆を投下したことは正しかったとするアメリカを象徴して、永遠に展示されるだろう。同博物館別館には、B29のほかに、SR71偵察機など、アメリカの近代戦争を象徴するものが、そのままの形で展示されている。

ポールの優しかった母親エノラの名前は、人類の歴史が続く限り、人類の記憶の中に生き延びる。我が子の焼けただれた遺体を抱きながら死んでいった、無数の名もなき日本の母親たちの記憶とともに……。

二〇一九年夏だった。エノラ・ゲイに「広島上空の天気は良好」と原爆投下への最終ゴーサインを出した「ストレート・フラッシュ」の小さな記事が流れた。機首部分のノーズアートがカラーで描かれ、三年間の補修作業を終え、ユタ州北部にあるヒル空軍基地の航空博物館に展示されるというものだった。ノーズアートはカラーでおもしろおかしく描かれている。ストレート・フラッシュという名前は、この機の機長がギャンブル狂であったのでつけられたのだった。

広島にやってきた核戦争ボタン

楕円形の機首の上部が水色、その後方部分が後ろまで白で塗り分けられたジャンボ機がゆっくりと降りてくる。滑走路の対岸では、多くの日本人がその姿を見守っている。続いて、今度は機首の上部を白、その下半分を水色に塗り分けられたジャンボ機より一回り小さな旅客機が降りてきた。複数の軍用ヘリも姿を現した。着陸した飛行機を見学しているところからはまったく見えない遠い駐機場で、一人の男がタラップを降りていた。その男には、軍服を着たひとりの男が、重そうな黒い革のカバンを手にして付き添っている。

飛行機を興味深げに眺めていた人たちには姿は見えないが、その飛行機に誰がなんのために搭乗しているのかを彼らは知っていた。第四四代米国大統領バラク・フセイン・オバマだ。彼は現職大統領としては初めて、アメリカが人類初の原子爆弾を投下した広島を訪問するために経由地の岩国を訪れたのだ。

ここは山口県の米海兵隊岩国基地のフェンスの外。仮に第二次朝鮮戦争があるとすれば、確実に米軍の出撃基地となる飛行場だ。ジャンボ機から降りてきた男がどれぐらい、降り立った飛行場の重要性を理解していたかどうかわからない。だが有事の際には、米海兵隊の攻撃戦闘機が出撃、朝鮮半島に間違いなくミサイルを撃ち込み、爆弾を落とすことになる。

「エアフォースワン」と呼ばれるジャンボ機から降りてきた男を、世界の人々はオバマ大統領と呼ぶ。だが、岩国基地に降り立った後、基地の格納庫らしきところで米海兵隊員や日本の自衛隊員を前に演説するオバマの肩書は大統領ではない。米軍最高司令官として、将兵たちに話をしていたのだ。撮影されたビデオ映像でも、自ら最高司令官としてその場に立っていることを明言している。

世界最強の軍隊と自らを呼ぶ米国軍隊の指揮命令系統ははっきりと文書で定められている。戦場で大尉と少尉なら、当たり前だが大尉に指揮権がある。では同じ大尉の階級ではどうか。どちらが上官（シニア）であるのかを確認できるリストがある。戦場とは人と人が殺しあうところだ。戦闘中に指揮官が戦死した場合に、誰がその部隊の指揮を執るのかも、その手順に従って行われる。

軍隊の指揮権の問題は、軍が複数の国で構成される場合にも、発生する。米韓、米豪合同演習（実戦を想定）はあっても、日米合同演習はない。日米共同演習と言い換えられている。日米合同演習あるいは日米が合同で戦う実戦になれば、上級司令官が米軍であった場合に、米軍の指揮を日本の自衛隊が受けることになるからで、「戦争をする国」米国と国土防衛以外には「武力行使」ができないはずの「戦争をしない国」日本では「戦闘」の持つ意味が違う。米軍の指揮下で戦争をすることは、集団的自衛権の行使として、間違いなく憲法違反となる。

また、軍事の世界では階級によって使用できる戦力が決まっている。陸軍でいえば、階級により指揮することのできる兵員の規模や使用できる武器が定められているわけだ。例えば、戦闘攻撃機一機の持つ戦力は、一般的に陸軍の中隊と同じと考えられている。だから、それを指揮する人間は尉官あるいはそれに準ずる階級以上となっている。新米の二等兵は戦闘機を操縦する資格がないのだ。

では世界一の軍事力を持つアメリカの究極の軍事力とはなにか。それが戦略核兵器であることは間違いない。米国は約六千発の戦略核兵器を持っている。大陸間弾道弾ミサイル、原子力潜水艦から発射するトライデントミサイル、戦略爆撃機による爆弾と誘導ミサイルなどの兵器体系が、ひとつの指揮通信系統に統合されている。その核攻撃を誰が命令することができるのか。それは最高司令官である大統領ただ一人。だから、大統領のそばに命令を発することのできる通信装置が常に必要になる。

岩国基地に降り立った後、コードナンバー「マリンワン」と名付けられている海兵隊のヘリに、運搬を担当するエリート軍人とともに積み込まれ、広島入りした黒い革のカバンがそれだ。通称、「ニュークリア・フットボール」と呼ばれる。俗に「核の発射ボタン」といわれるが、カバンの中に発射ボタンがあるわけではない。それは核攻撃の情報体系の頂点にあり、攻撃命令を下す装置なのだ。始動には、大統領自身が常に持つ通称「ビスケット」と呼ばれる暗号カード（ゴールドコード）が必要となる。

岩国から広島のヘリポートに「フットボール」とともに移動したオバマ最高司令官は、原爆ドームの前で、慰霊碑に花輪をささげた。被爆者と抱きあった。原爆資料館では自らが作り、ホワイトハウスから持ってきた折り鶴を展示室においた。

「71年前の明るく晴れ渡った朝、空から死神が舞い降り、世界は一変しました。閃光と炎の壁がこの街を破壊し、人類が自らを破滅に導く手段を手にしたことがはっきりと示されたのです」（ハフィントンポスト日本語版二〇一六年五月二十七日）で始まる名文調の演説はあったが、死神を投下したアメリカを代表する大統領として広島への原爆投下を謝罪する言葉はなかった。滞在時間は約一時間。その間、最高司令官のそばには無言の「フットボール」と名付けられた死神の代理人が待機していた。いつでも核戦争を開始できるように……。

日本のメディアの大半は、現職のアメリカ大統領が広島を訪れたことを大きく扱った。だが、核廃絶を唱えてノーベル平和賞を受賞した人物が、米軍最高司令官で核戦争を始める権限を持つ人物であることはニュースから抜け落ちていた。実はオバマが滞在した一時間あまりの間、原爆ドームの前には「核攻撃司令部」が出現していたのだった。

海外のメディアは、現職の大統領が広島を訪れたことを歴史的な訪問であるとするとともに、オバマがアメリカの原爆投下を謝罪しなかったことを大きく報じた。同時にオバマが持ち込んだ「ニュークリア・フットボール」を写真付きで扱っていた。リベラルな論調で知られる米MSNBCの記者レイチェル・マドーは、「ニュークリア・フットボールはアメリカ大統領から離れない　ヒロシマに行っても」との見出しで、広島型原爆二万二千発分の破壊力を発射できるシステムを持って、人類初の被爆地である広島を訪れたオバマを皮肉った。

オバマは任期が残り半年になってきているのに、なぜはっきりと、広島、長崎への原爆投下は間違っていたと言わなかったのだろうか。もし、明確に述べていれば、ノーベル平和賞に値しないといわれていたオバマが、名誉を回復することができたはずなのに。オバマは引退後も、アメリカ政界に影響力を残しておきたかったからなのだろうか。

旧帝国陸軍の飛行場跡地にできた広島のヘリポートから、オスプレイの護衛を受けた「マリンワン」で、オバマと「フットボール」は岩国の海兵隊基地に戻った。そこから、夕闇迫る中、オバマたちを乗せたエアフォースワンは首都ワシントン近郊にあるアンドリュース空軍基地に向け飛び立っていった。

アメリカはいつも戦争状態にある国だ。オバマを乗せたジャンボ機は日本の航空自衛隊と米空軍の戦闘機による護衛を受けていたはずだ。ノーベル平和賞受賞者のオバマがどれぐらい現実味を感じているのかわからないが、アメリカが北朝鮮などの核保有国と戦争を始めた場合、自らが離発着した岩国基地が、いつかは核攻撃の対象になる可能性はある。

三沢、横須賀、相模原、横田、厚木、岩国、佐世保に沖縄の基地群。陸海空三軍に加えて海兵隊、合わせて約五万人の米軍が駐留している。当然のことながら、核戦争を前提とした戦略を立てている。在日米軍司令部のある横田基地には冷戦が始まった一九五四年に核攻撃から司令部を守る「核シェルター」ができたことを、横田の米軍広報紙が、横田の歴史を語るなかで伝えている。明らかになっていないが、横須賀をはじめ核攻撃があることを前提にした核防御退避壕（フォールアウト・シェルター）があることは間違いない。在日米軍の主要基地は常に核攻撃の恐れがあるということだ。

核戦争の一歩手前までいった一九六二年のキューバ危機は、ソ連が中距離核ミサイルをキューバに配備しようとしたことで始まった。ミサイルを積んだソ連の軍艦が途中から引き返したので危機は回避できたが、全面核戦争寸前だったことは歴史的な事実だ。当時のソ連をアメリカに置き換え、対象国を中国とロシアとすれば、現在の日本はそのときのキューバの役割を持っている。中国、ロシアに対する脅威は、キューバ危機のときのアメリカに対するキューバの脅威よりもはるかに大きい。

二〇一九年五月、徳仁天皇の即位に合わせて、オバマの後を継いだトランプ大統領が、新天皇即位後初の外国からの賓客として、皇居を訪れた。英語で歓談する天皇夫妻とトランプ大統領、メラニア夫人の近くに、オバマが広島に持ち込んだ「ニュークリア・フットボール」と同じものがもちろんあった。オバマからトランプに引き継ぎがあったわけではない。すべて国防総省が事務的な引き継ぎを行っている。「ニュークリア・フットボール」は、「米軍最高司令官」でもあるアメリカ大統領につきまとっている怨霊のようなものだ。

核廃絶を唱えてノーベル平和賞を受賞したオバマ大統領だったが、任期中に「核実験」を四回やっている。臨界前核実験と呼ばれているが、プルトニウムの有効性、すなわち保有する核兵器の品質管理のために、プルトニウムが核分裂するかどうかを確かめるものだ。

オバマの後を引き継いだトランプは好戦的な人物といわれている。臨界前核実験は現在（二〇二〇年三月）まで二回やっている。一方、就任して一年足らずで、アメリカの核戦略を根本的に変える「核戦略態勢の見直し」（NPR=Nuclear Posture Review）を国防総省が発表するのを許可した。発表された文書はかなりの長文で、内容は一年足らずでできるようなものにはどうしても思えない。オバマの在任中から、密かに見直しが進められていたのではないだろうか。

「使える核」とは不気味な表現だが、「使い勝手のいい核」といえばわかりやすい。戦略核兵器の使用は、「戦略核兵器」での報復を招く。「相互確証破壊」の恐怖の均衡の中で、核兵器はもはや使えない「兵器」になっているという考えが根本にある。

射程五百キロから五千キロの中距離弾道ミサイルの開発と、広島に投下された原爆の三分の一ぐらいの破壊力の「使える核」ミサイルを開発、敵国周辺に配備することで、中距離核ミサイルの開発で先行している中国とロシアに対抗するのが狙いだ。「使える核」をめぐるアメリカの動きはあわただしい。冷戦時代にソ連と締結した中距離弾道ミサイル全廃条約の失効を二〇一九年八月にロシアに通告したと思ったら、アジア太平洋地域に地上発射型中距離ミサイルを配備したいと、エスパー国防長官が欧米メディアに言明。同年末には中距離弾道ミサイルの発射の成功が報じられた。

オーストラリア政府はすぐに拒否。中距離弾道ミサイルが配備可能なところは、日本と韓国ぐらいしか今はない。軍事専門家は、沖縄への配備の可能性が高いと言っている。ミサイルが配備されれば、当然だが「核」弾頭ミサイルになる。

オバマが被爆地広島を訪れて三年あまり。日本の非核三原則がなし崩しなる時代に急速に入ってしまった。たそがれのメリケン波止場にたたずむニッポンに危機が静かに迫っている中、米国防総省は次年度から年二回の臨界前核実験を実施すると発表した。

ブタのエサを買ってくれ！　自殺したくない！

生きていてほしかった……。三人の子どもとわたしを残して、夫が死んだ。悲しみは癒えない。だが今は夫のことを語るべきときが来たのだろう。地元テレビ局の取材を受けた。誰にも、わたしたちの悲劇を繰り返してほしくないからだった。

二〇一九年六月十三日のことだ。ご近所さんから突然、電話があった。

「アンバー、大変だ！　クリスがほとんど息をしていない！　銃で自分を撃ったらしい」

「すぐに行くわ！」

ご近所といっても、ここは広がる農地の中に点々と農家が点在している田舎だ。つっかけをひっかけて行ける距離ではない。クリスの妻のアンバーは必死で駆けつけた。畑に横たわるクリスの手を握りしめ、「がんばって！　あなたがいなければ、わたしは生きていけない。闘って！」と叫んだ。だが、夫にはもはやその力がなかった。

クリス・ダイクソン享年三十五歳。笑顔の写真が印刷された葬儀を知らせる訃報には、二〇一九年六月十三日、サウスダコタ州プラット（人口千三百人）の町の病院で死亡となっている。銃で自らを撃って自殺したことは、一切書かれていなかった。

葬儀日程を知らせる訃報には、クリスの短い生涯が書かれていた。

一九八四年六月六日、サウスダコタ州アーマーで生まれ、二〇〇二年にダコタ・クリスチャン高校を卒業。地元の農業牧畜用機器の製造・販売会社に就職して十二年間勤めて退職した後に、農業を始めた。二〇〇四年九月二十五日にアンバー・ハイジンガーと結婚。三人の子どもに恵まれ、十四年間の結婚生活を送った。両親、祖父母ともにサウスダコタ州で健在。プラート改革派教会のメンバーで、助祭を務め、母校のダコタ・クリスチャン高校の教育委員会のメンバーでもあった。狩猟や釣りを好み、家族、特に子どもたちとともに過ごす時間を愛していたとも書かれている。

クリスが愛する妻や大好きな子どもたちとつかの間の幸せを過ごしていた農家のリビング。残された妻のアンバーが、いつもは二人で座っていたはずの布製のソファーにひとりで座って、携帯電話の画面を無言で眺めている。アメリカと中国の関税をめぐる貿易交渉が山場を迎えるようで、なかなか迎えない二〇一九年十一月中旬のことだった。

この年、ダイクソン一家が住むサウスダコタ州プラートは天候不順が続いていた。四月には季節外れの冬の嵐が襲い、作物の種まきと植え付けが遅れていた。雨の多い日が続き、洪水も起こってしまった。

アンバーは夫クリスが悩んでいることに気づいていた。農業を始めて五年あまり。牧畜は牛、豚に羊。農作物は大豆にトウモロコシを育て、なんとか借金を返してきていた。広い農場で農業をやるには大型の農業機械が必需品だ。耕すことから収穫までのすべての作業に機械が必要で、中古の機械を購入しても多額の金が必要になる。サイロなどの施設の維持費や家畜のえさ代もばかにならない。

資本を持った会社が農業を企業として始めているアメリカでは、生産性での争いでは個人農家はかなわない。米中貿易摩擦で中国が大豆などの輸入を控えてしまっている。経済的ストレスに耐えきれず自殺する農民がアメリカでは跡を絶たなくなっていた。

ジーパンに地味な縞のTシャツ。茶色のカーディガンを無造作に羽織ったアンバー・ダイクソンさんが重い口を開き始め、語った。

「眠れない。つらい」と無口な彼が言い始めた。家に戻ってくると、いつもわたしのそばに来て、「おれは死にたい」と言うようになった。畑で働いているクリスと家にいるアンバーは、いつもテキストメッセージを携帯でやり取りしていた。

「おれは今晩どうやったら眠れるようになるのかわからない」「来週は送られてくる請求書でひどい週になるに違いない」

一日ごとに、クリスは明るさを失っていった。

「太陽は輝いているのに、おれはまだダウンだ。トンネルの先に明かりが見えてこない」

アンバーはクリスが悩んでいることがよくわかっていた。彼女は祈った。そして、クリスを精神科の治療に連れていくことにして、アポを取った。鬱症状を改善するための薬も処方してもらった。だが、クリスは苦しい気持ちを訴えるメッセージを、畑から送り続けてきた。

「おれは失敗した。これまで働いてきたものをすべて失うだろう。何年も何をやってきたのだろうか?」

残されたクリスのメッセージを見せながら、気丈にも地元テレビのインタビューに答えていたアンバーの目から涙があふれた。あの日、握りしめたクリスの手にまだ残っていたぬくもりを感じながら、アンバーは息をほとんどしなくなる夫を見つめていた。似たような悩みに押しつぶされるようになっている農民と家族に自分の悲しみと教訓を伝えたかった。

「積みあがる借金で自殺するファーマーたち――同じ状況におかれた妻が語る」と題して、地元KSPY局は朝十時から始まるニュース番組のトップで、彼女を取り上げた。番組は、農民は悩みを以下に電話をしてくださいとの案内とともに、アベラ農民ストレスホットラインとして無料電話番号を最後に、ニュースを終えた。

アメリカでは自殺防止用に無料の緊急電話が開設されている。わかりにくい一〇桁の番号を、三桁にしようということで下院では988という番号を設定することが委員会レベルで通過している。日本の110番にあたる911に似た番号にしようとするわけだ。

前述したように、全米での自殺者は年間五万人に迫ろうとしている。死亡原因の一〇番目にランクされているぐらいの多さだ。その中で、農民の自殺者は、成人で農業以外の仕事を持っている人口の自殺率の三倍から五倍だといわれている。アメリカの農業人口は、就業者人口の一パーセント強だが、その農業生産量は世界有数で、全世界に農産物を輸出している。

自殺したクリスが輸出していた大豆は主要農産物で、全中国の消費量の六割はアメリカ産だという。大豆といえば、日本人はすぐに豆腐を思い浮かべる。日本も中国も豆腐大好き民族だ。マーボ豆腐は発音がちょっと違っても、日中の共通言語だろう。だが、クリスの生産していた大豆は豆腐にはしてもらえない。大豆油が抽出された後の大豆カスはブタのえさになるのだ。油も中華料理にはかかせないもの。だから、米中貿易摩擦の中で中国が輸入先をブラジルに切り替えたことで、米国産大豆の輸入が少なくなった。これがクリスなどアメリカの農民を直撃していた。

地元テレビが取材するかなり前から、クリスの自殺をワシントンポスト紙の記者が取材を進めていた。テレビ放送の数日前にウェブで公表された記事の中に掲載されている家族の写真が全員半そでなので、すぐにわかる。ウェブサイトで読むことができる記事には、クリスが抱えていた負債は三〇万ドル（日本円では約三千三百万円）。日本の農家が天候不順などで危ない状況になったときには抱えることがありうる負債額だ。この程度の負債を広大な農地を所有するクリスがなんとかできなかったのか。クリスは父親の所有する農地で働き始め、三年前に父親から農地を譲り受けて、農場経営を始めていた。アメリカでは農業で食えている農家は少なくなってきているという。栽培しても、栽培しても、農家は赤字になっているという統計もある。だから、銀行は金を貸さない。

地元テレビの報道の前に、最大ネットワークの一翼を担うＣＮＢＣが「貿易戦争、気候変動が家族経営の農家追い込む。これはアメリカのあり方を危険に陥れているのか」との見出しで、記事を出した。そこで「キーポイント」と題してアメリカ農業の抱える問題を指摘している。トランプの貿易戦争のなかで農場の倒産が前年に比べて二四パーセント増え、五八〇の農家が倒産手続きに入ったと書いている。倒産件数が多い順に、ウィスコンシン州四八件、それに続いてジョージア州、ネブラスカ州とカンサス州が三七件となっている。

キーポイントのひとつとして、農民の自殺が増え、農業に頼っている田舎の地域から多くの人口流失が続き、ゴーストタウン化が進んでいると書いてある。そういえば、自殺したクリスの住んでいた人口千人ちょっとの町も人口がどんどん減少しているという統計数字があった。

異常気象による農地への被害もすごい。農業省によれば、二〇一九年八月の時点で、豪雨と洪水により一九四万エーカーの農地で作付けが行われなかったという。

さらに大豆、とうもろこしが過剰生産で値を下げているときに、米中貿易摩擦でお得意様の中国への輸出が激減、農家を直撃した。自殺したクリス・ダイクソンも多量の大豆の在庫を売れずに抱えていた。ＣＮＢＣの記事は、家族の悲しみを逆なでするように、自殺の背景を的確に説明している。

困った人がいれば、それを利用して儲けようとする人たちもいる。農業省によれば、アメリカの農地の八〇パーセントを大規模な農業法人が所有し、農業を営まない人たちが所有する農地の約三〇パーセントが、ファーマー（農民）に貸し出されているという。アメリカにまるで戦前の日本のような小作人が発生しているのだろうか？

「大草原の小さな家」ではないが、広い農場で家族一緒に幸せに暮らすのは、ヨーロッパから東海岸に渡ってきてアメリカ人になった人たちの夢だった。人々は広大な原野を、西へ西へと幌馬車を進めた。そんなアメリカ人の夢が、農業構造の根本的破壊とグローバリゼーションのなかで消えていこうとしている。

大豆はある意味でそのグローバリゼーションの象徴だ。アメリカ、ブラジル、アルゼンチンが世界の大豆の八割を生産している。アメリカで栽培されている大豆は実は日本から渡ったものだ。黒船でやってきて、日本に開国を迫ったアメリカのペリー提督が、日本人が食べていた大豆をアメリカに持ち帰ったことでここまで成長した。その日本の大豆は弥生時代に、中国から朝鮮半島経由でやってきたという。

米中貿易摩擦で、アメリカからの大豆輸入が減少すると、中国は世界二番目の大豆生産国ブラジルからの輸入に切り替えた。びっくりすることにブラジルの大豆栽培は、アメリカが一九七〇年代初めに日本へ輸出を減少させたときに、日本政府が日本人の必要とする輸入量を確保するために、ブラジルに大豆の栽培を勧めたのだという。世界経済に翻弄された中で、一人のアメリカの若い農民が自死した。彼と彼の家族の悲しみは世界の農民たちにとって他人事ではないのかもしれない。

鉄路の先の暗闇

アムトラック（全米鉄道旅客公社）501列車は太平洋北西部の都市のワシントン州シアトルを出て、オレゴン州最大の都市ポートランドを目指していた。今日は迂回路として新しく整備された線路のテストを兼ねた走行の日だ。チェックする検査員と乗客が乗っている。

この線路ができたのでスピードアップできるようになった。貨物と旅客を別々に運行できるので、試算では、一日四便ある旅客列車のいくつかは、十分間は運行時間を短縮できる。シアトル―ポートランド間は約二三〇キロ。最速の列車で三時間半かかるだけになる。料金も最低価格二六ドルから、高くとも六〇ドル。だから、利用客もまあまあいる。この日も七七人の乗客が乗っていた。

飛行機も、自動車もない時代のアメリカの発展は鉄道なしには考えられなかった。大陸横断鉄道がなければ、西部の開拓はなく、西海岸にあるアメリカ第二の都市ロサンゼルスも、シアトルも、今列車が向かっているポートランドもなかっただろう。シアトルからシカゴを結ぶ鉄道が何便かはあるものの、観光客以外にほとんど乗客はいない。鉄道の時代は終わっていた。

「腐ってもおれは鉄道マン」と機関車の運転士が思っていたかどうかはわからない。だがこの先の急カーブでは減速しなければならないと、運転士が思っていなかったことは間違いない。この列車はポートランドに到着することはなかった。

二〇一七年十二月十八日朝のことだった。シアトルを出て、新しく敷設されたバイパス路線が分岐するデュポン近くにさしかかる。交差するインターステートハイウェー5の上の短い鉄橋を渡った少し先に急なカーブがある。だが、一二両編成の車両はカーブを曲がりきれずに機関車を線路上に残して、連なるようにして脱線した。何両かは道路の上に落ちた。スピードの出しすぎが、原因だった。アムトラック501の走行記録を調べると、八〇キロ近くスピードオーバーした時速一二六キロで脱線時に走行していたことがわかる。つまり、この急カーブでは時速五〇キロ以下で走行するように、バイパス鉄路が設計されていたことになる。

この事故で、乗客三人が死亡、五七人の乗客と乗務員が負傷した。高速道路上では八台の車が破壊され、八人のドライバーが負傷している。連邦交通安全局は列車が減速しなかったことが脱線の原因と述べ、運転士は三回ほどこのルートを確認するトレーニングを受けているが、運賃を払った乗客を乗せて運転したのは初めてだったことを明らかにした。しかし、事故現場を撮影した航空写真を見ると、事故が起きたカーブがそれほど、急だとは思えない。森の中を抜ける線路が単線であることにもびっくりする。

時速五〇キロとはどういう速度なのか。東京の中心部を連続するカーブの線路で回っている山の手線の最高時速は四〇キロ。時間短縮のために新設された急行用の新ルートが、その程度の速度に合わせて設計されたとすれば、またまたびっくりしない訳にはいかない。

二三〇キロを三時間半あまりの走行時間とはなんなのか。二三〇キロとは東海道新幹線でいえば、東京を出て静岡を過ぎて掛川にかかるあたりだ。スピードが遅い東海道新幹線の「こだま」でも、三時間半あれば五〇〇キロは離れた新大阪に、「のぞみ」でならその一時間前ぐらいに新大阪に到着している。スピードの速い北海道新幹線なら、もうちょっとで終点の新函館に着いている。

次の世界の支配者を狙っているとして、アメリカが対抗意識を燃やす中国は、すでに高速鉄道網が完成している。中国の二大都市、北京と上海間一三一八キロを最高時速三五〇キロで鉄道が結んでいる。

事故を起こしたアムトラックは、一九七一年に全米四六州を結ぶ鉄道を統合して設立された連邦政府が保有する旅客用鉄道公社だ。総延長路線三万四千キロの路線はカナダの主要都市にも延びている。日本のJR路線総合距離は約二万キロ。

だが利用客は少なく、売り上げも細々としたもので、一九六〇年代から全米の鉄道会社が衰退して行く中で設立された。バランスシートが黒字になったことはない。とはいえアメリカはまだ鉄道大国だ。各鉄道会社が保有する線路の総延長距離は二十二万五千五百キロ。今も世界一であることは間違いない。アメリカに網の目のように広がる長距離鉄道網は、大中小の鉄道会社が鉄路を所有している。ほとんどが乗客輸送から撤退して貨物輸送に特化している。国有鉄道まがいのアムトラックが乗客を扱っているだけだ。

列車が出発したシアトルはアメリカ経済の今を引っ張る大企業が本社や支社を持つ。世界を席巻しているアマゾンの本社はここだ。マイクロソフトの本社も森と海に囲まれた美しいこの都市の近郊にある。グーグルも開発拠点をここに持っている。スターバックスもここが誕生の地。任天堂アメリカの本社もある。それにしては、この事故に象徴される、時代遅れの鉄道事情があまりにもさびしい。

忘れてはならないアメリカを代表する企業の本社がここにはあった。金融を担当する子会社を残して、本社が現在のシカゴに移転する前にはシアトルにあり、市の経済を底から支えていたボーイング社のことだ。今も大規模な製造工場が近郊にあり、シアトルはボーイング社の企業城下町だった。

ボーイングの飛行機は日本人の生き死にと、妙なところでつながりがある。日本の大都市を空襲した長離爆撃機B29はボーイング。ヒロシマ、ナガサキに原爆を投下したのもB29。世界の空を支配した７４７ジャンボ機はボーイング社製。同型機の日本航空１２３便が群馬県の御巣鷹山に墜落、五二〇人の命を奪った。ボーイング社の後部圧力隔壁の不適切な修理が原因で破損とみられている。垂直尾翼などが破壊され、飛行機はコントロールを失った状態で山に激突した。

もうひとつ、日本人が本当は忘れてはならないボーイングの飛行機がある。787ドリームライナーだ。787ドリームライナーは、燃費のよい次世代中距離旅客機として華々しいデビューを飾るはずだった。だが、バッテリー系統の発火で、全日空機はあわや大惨事の一歩手前までいった。全日空と日本航空が運航を停止したのを受け、全世界で787は飛行を停止した。

この重大インシデントの原因は完全には解き明かされていない。ボーイングから、バッテリーの改修計画が明らかにされ、その後、世界各地の空港に留めおかれていた飛行機が順次、飛行を再開した。

会社への信頼感が世界中で薄れていく中で、ボーイングは重大な事故をふたたび引き起こした。今度は中短距離用の中型機737をもとに、エンジン部分をグレードアップしたボーイング737MAX機だった。二〇一八年十月二十九日にインドネシアのライオン・エアが、翌年三月十日にはエチオピア航空が墜落した。ライオン・エア機一八九人、エチオピア航空機一五七人、両機の乗員、乗客合わせて三四六人が即死している。いずれの事故も離陸直後十分以内。機首を地上に突っ込むようにして墜落している。これで助かる乗客などいるわけがない。エチオピア航空機の墜落事故以後は世界中で737MAX機の運用は停止されている。世界各地でずらりと飛行機の墓場のように、機体が並ぶ光景は不気味だ。

航空機の墜落事故は死に直結している。だから、航空会社や航空機メーカーは安全確保を最優先にしている。また、航空機製造国は安全運行について、一番の責任を持ち、運行停止などの決断をいの一番でやらなければならない。しかし、中国がまず一三の自国航空会社の737MAXの運航を停止した。多くの国が、中国の判断に同調する形で運航を停止していく。アメリカが運航停止を命じたのは三月十三日。そのときに同型機の運航を停止していない国はパナマだけだった。737MAXを購入していないが日本などの国は、アメリカ政府の決定を受けて、自国空域での飛行を禁止する措置を取っている。機種を指定しての運航停止が行われたのは、世界で二〇一三年のボーイング787以来だった。

737MAXは旧型のエンジンを改良したもので、新たな世界のベストセラーを目指していた。だが、致命的な欠陥があった。上昇するパワーが強いために、機首が上を向きすぎて失速する恐れがある。そのために離陸時にあがりすぎた機首を下げるように作動するソフトが装備されていたのだった。エチオピア航空の事故調査では、飛行記録に機首をソフトが自動的に下げようとするのを、パイロットが懸命に機首を持ち上げようとしていることが記録されていた。ライオン・エアでも同じ悲劇が起こったことは間違いない。

最初の墜落事故から一年と一日経った二〇一九年十月三十日、米議会の上下両院で商業科学運輸委員会の公聴会が二日間にわたって開かれた。その場で証言したボーイングのデニス・ミューレンバーク最高経営責任者（CEO）は、公開の場で初めてふたつの墜落事故の責任を認めながら、驚くべきことを明かしていく。

米公共ラジオ（NPR）や複数の米メディアによれば、デニス・ミューレンバーグCEOは公聴会の場で、MCASと名づけられた失速回避システムが正常に作動しなかったことが原因で墜落したことを認めた。737MAXが連邦航空局から型式証明を得て飛行可能になる二年前に技術部門から、ソフトを作動させるセンサーがひとつでは誤ったデータが送信される可能性があるから、もうひとつセンサーを装備するように設計変更すべきと進言されていたことも明らかにした。また最初の墜落事故の三年前から問題があることを実は知っていたというのだった。

最初の墜落事故の犠牲になったライオン・エアのパイロットにはこの装置があることが知らされていなかった。一方、エチオピア航空のパイロットは、事故の原因を探る中で、この誤作動を回避する方法を知らされていた。だが、機首を下げようとするソフトの命令を、パイロットが必死で阻止しようとしたが、墜落を防ぐことをできなかった。

すでにソフトは改善され事故を防ぐ対策はとった。事故の責任はとる。飛行を再開できると主張するのが、公聴会出席の大きな目的だった。技術部門の進言をいれ、ソフトとセンサーの改修をなぜ検討しなかったのか。インドネシアの事故の後、すべての飛行機の運用を停止していれば、ふたつ目の事故は防げたのではないかと議員たちは何度も追及した。公聴会には飛行機事故の犠牲者の家族も遺影を手に、遠くインドネシアとエチオピアから来ていた。

デニス・ミューレンバーグは米中西部アイオワ州の農家で一九六四年に生まれた。アイオワ州立大学を卒業。シアトルにあるワシントン大学大学院で宇宙工学を学ぶ。インターンとしてボーイング社に勤務。入社してからは出世街道を駆け上がり、五十歳になる前にＣＥＯの地位を得た。遺族や議員たちから責任をとっての辞任を求められても、二〇一八年分の報酬二千三百万ドルを返却する気持ちはないかと尋ねられても、それは取締役会が決めることだと、頭を縦に振ることはなかった。

遺影を掲げる家族の前で淡々と言葉を発するデニスと呼ばれる男の複数の映像を、私はインターネットで繰り返し見てみた。長い映像は五時間以上ある。奇妙な戦慄が私を襲う。幼いころに怖かった幽霊やお化けとは違う。アメリカのホラー映画を見た戦慄とも違う。なんなのだろう。ブルーのネクタイにダークスーツ姿の男の頭は薄くなってきているが、面長の端正な顔立ちをしている。その優男が、まるで簡単な商談をしているように、淡々と話を続ける。「ソーリー」という言葉に感情はない。この男の頭の中には、何があるのだろうか……。

シミュレーター、センサー、説明責任などという言葉が飛びかう中で、ふと思った。この男を人間と思うから、戦慄が走ったのだ。ボーイングという企業をひとつの巨大なＡＩ（人工知能）とすると、人間の顔をしたこの人物は、主要ソフトであり、シミュレーションに応じて作動する。人間の言葉を発するのも、その動きのひとつでしかない。

デニスの頭の中にはモラルという言葉が存在しない。人間の悲しみや怒りは、単なるソフトを作動させるデータでしかない。感情がないのだ。あるのは、株主と企業の利益を損なわないという指令信号だけなのだ。事実、エチオピア航空の事故から、二カ月ちょっと経ったころに開かれた投資家向け説明会で、修正ソフトを出して、米国連邦航空局（ＦＡＡ）に運航再開の承認を申請すると述べている。また、体制が整えば、増産することを表明、事実ボーイングは生産を続けていたが、二〇一九年末についに、ボーイング社は７３７ＭＡＸ機の製造を中止すると発表。同社は全米一の輸出額を持ち、裾野に多数の企業を抱えているので、アメリア経済への打撃は計り知れない。ところが、ＣＮＮの報道によれば、ミューレンバーグ社長は、退職金を含めて約六千万ドル（日本円約六十六億円）の金銭的補償を受けながら「解任」された。

アムトラックの小さな列車脱線事故の先にアメリカの暗闇が見えた。それは衰退したアメリカを象徴していた。だが、それはまだ人間の顔を少しは持っていた。

今回のボーイングの事故の先には、アメリカの奈落が見える。利潤追求という指令に支配された巨大なＡＩがアメリカなのではないのか。ボーイングに感じる人間性を喪失した底なしの戦慄は、シアトルにあるアマゾンなどの巨大企業にも、内在しているのではないのか。

いつ、それが姿を現すのか。

日本にもその影はすでに投げかけられ始めている……。

第六章

アメリカの希望と絶望

共産圏からきたヌードモデルと双子の男の子

かわいらしい双子の男の子が、おとうさんとおばあさんに手を引かれて、街を歩いていた。少し年上のもう一人の少年は字が読めるのだろう。見慣れたキリル文字とアルファベットといわれる文字で書かれた英語の看板を物珍し気に眺めながら、手をつながずにひとりで歩いている。この少年が気づいたかどうかはわからないが、二種類の文字には似たようなものがある。だが、発音してみるとまったく違うものがたくさんある。エルと思った文字が、実はP（ピー）だったり、ヤーと思った文字が左右反対になると、エルに近い音のR（アール）だ。共産主義が支配していたウクライナ人民共和国とは、なにもかもが逆さまな世界に三人の男の子たちは、父と祖母と突然やってきたのだった。

一九七九年、ここはニューヨーク市のブルックリン地区にあるリトル・オデッサといわれる街。年上の兄と思われる少年はまだ英語はできないが、この街ではロシア語が通じるので、初めての街なのにとても、気持ちが楽だっただろう。

ニューヨークは文字通り人種のるつぼだ。マンハッタンには全米一大きな中華街があり、そこに行けば北京官話だけでなく、ありとあらゆる中国語が飛び交っている。英語などは通じない場合もある。

マンハッタン島から橋を渡ったブルックリンのリトル・オデッサには一九七〇年以降、東欧系やソ連圏からやってきた移民たちがコミュニティーを作っている。ウクライナからの移民が多いので、ウクライナの黒海に面した港湾都市オデッサの名前を付けて、リトル・オデッサ。ときに、リトル・ウクライナとも呼ばれている。もともとはブライトン・ビーチ地区。その名の通り、ニューヨークの市民が楽しむビーチがある。ウクライナの内陸部にあるキエフから来た子どもたちは暑い夏には海水浴を楽しんだのに違いない。すぐ近くにはコニーアイランドという遊園地もある。ユダヤ教徒である彼らには、ユダヤ教徒のための「コーシャ」（清浄な食品。イスラム教徒のハラールに相当）を扱う店もあった。

三人の男の子の母親は当時のソビエト社会主義共和国連邦のウクライナ人民共和国で亡くなっていた。そのとき、父親は故郷を捨てて、アメリカに移住という形で亡命することを考えた。子どもたちの面倒を見る妻はもういない。三人の男の子の母方の祖母に一緒に来てもらうことを頼んだ。父親は英語を勉強する一方で、複数の仕事を掛け持ち、家族の生活を支えた。ニューヨーク・タイムズによれば、ニューヨークに五人がやってきたとき、所持金はわずかに七五〇ドル。荷物はスーツケースひとつに入れられたものだけだったという。それからの生活はかなり苦しかった。

双子の兄弟の映像が残っている。（注）「自由の女神」と題したドキュメンタリー映画の一コマに、祖母と一緒に映っている映像があるのだ。夏に撮影したのだろうが、決して豊かな生活

（注）https://www.military.com/off-duty/2019/10/31/army-lt-col-alexander-vindmans-amazing-immigrant-story.html

を送っているような服装には見えない。着ているTシャツは少し大きめだ。兄のお下がりだろうか。

男の子たちの名前はサーニャとゲーニャ。どちらがサーニャで、どちらがゲーニャかは、一卵性双生児なのでわからない。だが、サーニャがソ連共産党独裁下のウクライナから来てから四十年後に、アメリカ政界に衝撃を与えた発言をしているときに、ゲーニャが同じ陸軍の制服を着て、サーニャの後方で、耳をかたむけていたことは全世界が知っている。

二人は一九七五年六月六日、ソ連のウクライナに生まれた。双子の兄弟は、「自由」の国へ来て「自由」な街ですくすくと育った。地元の小中学校を卒業してから、ブルックリンにある大統領の名前が付けられた公立のフランクリン・デラノ・ルーズベルト高校に通う。

サーニャは一九九三年に高校を卒業すると、ニューヨーク州立大学ビンガムトン校に入学した。同大学はパブリック・アイビーのひとつといわれ、高い学費の私立アイビーリーグの大学には通えない学生たちが目指す名門大学だ。サーニャはビンガムトン大学で学びながら、学費節約のために「予備役将校訓練課程」（ROTC）を受講する。

「軍隊」のない日本にはない制度だが、「予備役将校訓練課程」は将校要員を求める米国防総省と、学費をできるだけ節約して大学に通いたい若者たちの希望を合致させる制度だ。この訓練課程の修了者は、陸軍兵学校や海軍兵学校の卒業生と同様に初級将校に、終了後任官する。つまり、大学を卒業後数年間は軍役につくことが義務づけられている。その見返りといっては変だが、学費の一部または全額が免除され、数百ドルの奨学金を受けることができる。

アメリカの大学での勉学は、出される課題も多く、授業をこなすだけでも大変だ。授業の合間をぬうどころか、残された時間を軍事訓練と軍事教練に費やさなければならない。父親が複数の仕事をしているとはいえ、経済的にひっ迫する中でも勉強を続けたいサーニャにとっては願ってもない制度だった

サーニャが軍事訓練に必死で励んでいる一九九六年、ニューヨークのマンハッタンに一人の長身のファッションモデルがやってきた。やってきてすぐに、マンハッタンで全裸の大胆なヌード写真のモデルとなり、その写真が翌年にフランスの男性雑誌を飾った。サーニャを主人公とするドラマの二人目の主役が劇的に登場した瞬間だった。もちろん、そんなことをサーニャは知らない。

彼女の名前はメラニア・クナウス。独自の路線を歩んでいた東欧の共産国ユーゴスラビアで一九七〇年四月二十六日に生まれた。ユーゴスラビアでは自動車販売会社の責任者であるとともに共産党員の父親と、子供服を作る会社を運営する母親に大事に育てられた。ユーゴスラビアでは五歳のころから、子供服のファッションモデルをしていたという。

地元の大学に一年間通うが中退。一方で彼女の夢はどんどん大きくなる。ミラノやパリのモデル会社と契約して、仕事を続けた。そこでアメリカに来るきっかけをつかんだ。複数の

ファッションモデル会社を知人たちが紹介してくれ、モデルの契約を結んだ。ニューヨークに来てから、仕事の枠をひろげた。二〇〇〇年にはアメリカのスポーツ紙の名門、「スポーツ・イラストレイテッド」にも写真が掲載されている。

アメリカにやってきたころ、ユーゴスラビアはすでに分裂し、メラニアの生まれ故郷スロベニアでも、内戦の戦火が激しくなっていた。彼女はアメリカに住みたいと思った。その気持ちが彼女の人生を大きく変えていった。一九九九年にはトランプ・モデル・エージェンシーと契約を結んでいる。

一方、サーニャはROTCを一九九九年に無事修了。アメリカ陸軍に少尉として入隊した。翌年、歩兵部隊と対機甲小隊を率いるために韓国に派遣された。対機甲小隊とは向かってくる戦車や装甲戦闘車を、小型ロケット砲などで迎え撃つ少人数の歩兵部隊で、勇敢な将兵が選抜されている。槍一本でライオンの群れに戦いを挑むようなものだからだ。

韓国の次の任地はドイツ。二〇〇四年にはイラク戦争に派遣され、軍隊生活の中で初めての実戦を経験する。イラクの戦場はサーニャの人生を大きく変える。派遣されたその年の十月に、サーニャは道端に仕掛けられた爆弾で負傷。彼は名誉ある戦傷者に与えられるパープルハート勲章を授与され、翌年の九月までの任務を全うして、帰国する。この攻撃でサーニャが戦死していたら、これからの書こうとしているドラマは存在しなかった。

サーニャは順調に軍の階段を上がっていった。その間、ハーバード大学でロシア語の修士の学位をとる。二〇〇八年には少佐に、二〇一五年には中佐に昇進する。このドラマの主人公、少年サーニャは、アレクサンダー・ビンドマン中佐となったのだ。サーニャは英語だけでなく、ロシア語、そしてウクライナ語を使えた。

二〇〇八年にビンドマンは国防総省の海外地域担当将校となり、ユーラシア地域を担当。生まれ故郷のウクライナでは首都キエフのアメリカ大使館、ロシアの首都モスクワのアメリカ大使館で勤務している。首都ワシントンに戻ってからは、統合参謀本部で、ロシアを担当する政治軍事問題担当将校として統合参謀本部議長を補佐した。二〇一八年にはさらに重要な職責につく。国家安全保障会議のメンバーになり、生まれ故郷ウクライナのゼレンスキー新大統領の就任式への栄えあるアメリカ政府代表団の一員ともなっている。

このドラマの主人公ビンドマン中佐は、もう一人の主人公ヌードファッションモデルのメラニア・クナウスに会ったことはない。だが、ビンドマンは彼女の写真をどこかで見ている。二〇一六年七月三十日、ニューヨークの大衆タブロイド紙(注)、ニューヨークポストが、メラニアのヌード写真を一面で掲載したのだ。メラニアがアメリカに初めてやってきたときに、マンハッタンで撮影された全裸のヌードだった。メラニア・クナウスはメラニア・トランプになっていた。写真が掲載された二週間ほど前に、メラニアの夫ドナルド・トランプは共和党の全国大会で大統領選候補の指名を受けていた。保守系のタブロイド紙のニューヨークポストがトランプを支持しているのに、なぜトランプに不利になる写真を掲載したのかはわか

（注）https://www.yahoo.com/news/post-editor-debunks-conspiracy-theories-about-melania-trump-nudes-235028942.html

らない。世間でいわれていたように、ヒラリー当選は間違いないと予測して、このネタで儲けるなら今だと思ったのかもしれない。

ビンドマンがこの新聞を見ているかどうかはわからない。だが、少なくとも夫のトランプが大統領候補として指名される共和党全国大会で、あいさつするメラニアの姿は、テレビで見ているはずだ。

共産圏からやってきたビンドマン中佐とメラニアには奇妙に重なる時間的偶然がある。彼がイラクで負傷したその年に、メラニアはドナルド・トランプと婚約した。ビンドマンが首都ワシントンに戻った年に、フロリダ州の別荘で、トランプとメラニアは派手な結婚披露パーティーを開いていた。その場には、後に大統領選を争うヒラリー・クリントン夫妻が友人として来ていた。その時の写真も公表されている。当時、民主党を支持していたトランプとクリントン夫妻は大の親友で、娘同士も大の仲良しだった。

ビンドマン中佐は、大統領夫人メラニアが顔も名前も知らない人物だが、その男の顔をテレビで嫌というほど見る機会が訪れてしまった。

二〇一九年十一月十九日、午前。陸軍将校の制服で、ビンドマン中佐は連邦議会の下院情報特別委員会公聴会の証言台に座っていた。胸には数多くの勲章に混じって、パープルハート勲章がつけられている。その後方には、メガネはかけていないが、よく見ると同じ顔をした男性が立っていた。サーニャの双子の兄弟、ゲーニャだった。正確にはエフゲニー・ビンドマン中佐になっていた。彼も、サーニャと同じ道を歩み、陸軍中佐になっていた。

ウクライナ疑惑とは、トランプ大統領が選挙で選ばれたゼレンスキー新ウクライナ大統領に、電話会談のときにアメリカ大統領選挙で有力な対立候補になる可能性のあるジョー・バイデン前アメリカ副大統領と息子の汚職疑惑捜査を要求したというものだ。バイデン前副大統領の息子ハンター・バイデン氏はウクライナの天然ガス会社の重役をしていた。そのときにトランプは四億ドル近くの軍事援助を見返りとして示唆している。捜査をしなければ、軍事援助はしないとしか聞こえない電話の内容だった。

多くのメディアは「ビンドマン中佐とは誰なのか」というタイトルで、無名の軍人の証言の一部始終を報道した。ここまでメディアが注目したのは、彼がウクライナ疑惑の核心であるトランプ大統領とウクライナの新大統領の電話会談を、直接聞いていたからだった。

彼は冒頭、伝えたいことを「リマーク（意見）」として述べた。その内容はトランプ大統領が公表していた電話記録で削除されていた部分を含め、会話内容とその前からの行動について詳細に述べるもので、大変な衝撃を与えた。

自分がどのようにして、父親に連れられてソ連共産党が支配する故郷ウクライナからニューヨークにやってきたのか。軍人として何を学び、今、何を感じているのか。トランプ大統領がウクライナの大統領に、どのように、何を要求したのかを詳しく述べた。また、大統領の一連の行動が、アメリカで学んだアメリカの建国の精神と憲法に反していて、大統領の行動が自分の祖国となったアメリカの安全保障を脅かしていると述べ、彼が直接耳にした二人の大統領のかわした会話内容に問題があると明確に述べた。

発言の最後を、自分たちを連れてアメリカに亡命した父親への謝辞で締めくくった。翌月は家族がソ連を逃れてアメリカに来てから、ちょうど四十年目になる。

「父さん、私が議員たちを前に、今日、この議会の席に座り、このように話をできていることは、四十年前にあなたがソ連を去り、家族のためにより良い生活を求めてアメリカへ来た決断が正しかったことを証明しています。心配しないでください。私は真実を話します」

そして、議員たちに「(この機会を与えてくれた)皆様のご厚意に感謝します。私はあなたたちの質問に喜んでお答えします」と結んだ。

公聴会は長時間に及んだ。トランプ大統領を擁護する共和党議員から非難めいた質問が相次いだ。ビンドマン中佐の愛国心を疑い、彼の証言内容の価値を貶めようとするものばかりだった。

メラニアが自分の夫である大統領を弾劾する公聴会を見ながら、同じ共産圏から自由を求めてアメリカに逃れてきたこの男の誠意ある発言をどのような気持ちで聞いたのかは、わからない。

メラニア・クナウスが文字通り、裸でアメリカに飛び込んだころ、彼女はまだ二十五歳だった。成功したいという夢を持っていた。それが大統領夫人になることではなかったことは明確だ。なぜならそのころ、トランプの個人的な願望は別として、トランプがアメリカの大統領になるなどとは誰も夢にも思っていなかったからだ。トランプと結婚した後も、メラニアはファッションと化粧品製造の企画をやっていた。彼女はアメリカ社会で、経済的に成功したかったのだ。

抑圧的な社会から逃れて、軍隊の中で、地道な生き方を続けることでアメリカンドリームを手に入れた少年サーニャと、アメリカンドリームをファーストレディーという形で成し遂げた少女メラニア。二人のアメリカンドリームが、私利私欲の「夢」だけで生き続けてきたトランプ大統領という老人を弾劾する議会の場でクロスした。その終わりのないドラマは、アメリカンドリームとはなにか、アメリカという未完成の国家のあり方、その根幹をなす「自由」という概念とそれを支える「モラル」とはなんなのかを、アメリカ人に鋭く問いかけている。

カリフォルニアドリームの独立共和国

木の葉は枯れ、空は灰色／寒い冬の日　行く当てもなく歩く私／今LAにいるのなら、きっと暖かくて、心地いいのはずなのに／夢見るカリフォルニアはどこに……

色褪せた映像の中で、四人の男女が歌っている。左からストレートヘアーのやせた女性、ギターを持つ長身の男性は櫛の通ったロングヘアー、その隣に少し太めのカールしたロングヘアーの女性、そしてマッシュルームカットといってもいい男性がメインボーカルを務めている。メロディーも歌詞も哀愁を帯びているのに、四人の顔にはなぜかほほ笑みが見える。それもそのはず、こんな歌がヒットするわけがないとの前評判を覆して、徐々に人気を上げ、ビルボードで第四位までこぎつけたのだから。

グループの名前は知る人ぞ知る、二組の夫婦が結成した「ママス&パパス」だ。彼らの服装は普通のアメリカ人が普段着ている、普通の格好。街を歩いていても気づかないだろう。

時は一九六七年前後。負けることはないけれど、勝つことも予想できないベトナム戦争は激しさを増し、その一方でアメリカ経済がピークを迎えた年だった。

歌の舞台になり、グループが歌っているのは当時も今も全米最大の都市ニューヨークだ。この歌が歌われたころ、ロサンゼルス（LA）はニューヨーク、シカゴに続いて人口では三番目の都市だった。一九七〇年の人口は二百八十万人を超えているが、それでも七百万人を超えるニューヨークの半分以下だ。

ギターとボーカルを担当するジョン・フィリップスが作曲した「花のサンフランシスコ」が流行ったのも、そのころだった。この歌を歌ってヒットさせたのは、解散したママズ&パパズが復活した時に加わった、スコット・マッケンジーだった。

もし、あなたがサンフランシスコに行くのなら、／必ず髪に花をつけて行こう／もし、サンフランシスコに行けたなら／優しい人たちにきっと会えるよ

歌詞の最後のほうで、「不思議なバイブレーションが全国を包んでいる／人々は動いている」と歌っている。そのころ、全米各地でベトナム反戦デモが繰り広げられ、平和を象徴する「花飾り」をつける若者たちのことを「フラワーチルドレン」と呼んだ。反戦運動の盛んなカリフォルニア大学バークレー校に隣接するサンフランシスコは、その一大拠点のひとつだった。

どうして当時の若者たちはカリフォルニアにあこがれたのだろう。あこがれたのは太陽が途切れない青い空とサーフィンができるビーチに象徴されるカリフォルニアの持つ魅力そのものなのか、それとも若者たちは自分たちの夢を実現する場所として、たまたまカリフォルニアを選んだだけなのだろうか。

カリフォルニアの短い歴史は、繁栄と衰退を繰り返したアメリカ各地の歴史とアメリカ合衆国がどのようにしてできてきたのかのそのままの縮図だ。

一八四〇年、カリフォルニアの人口は八千人ぐらいではないかと、連邦政府統計局は推計

している。まだ州に昇格する前なので、正式の国勢調査が行われてはいなかった。また、この数字には当時三万人から十五万人いると推定されたアメリカ先住民の人口は算入されていない。ゴールドラッシュに始まり、カリフォルニアは発展。人口は急増していった。

西にあこがれたのは若者たちだけではない。それに先立つ、一九五〇年代後半にニューヨークにあるふたつの有名なメジャーリーグ球団がカリフォルニアに移った。ニューヨーク・ジャイアンツはサンフランシスコ・ジャイアンツに、ブルックリン・ドジャーズはロサンゼルス・ドジャーズとなって、大成功を収めている。

一九六〇年の夢のサンフランシスコの人口は七十五万人弱。ロサンゼルスは二百五十万人弱だ。

歌が歌われたころ、ダウ平均株価は最高値をつけた。アメリカ経済は順調に見えた。若者は爛熟期に入ったニューヨークを捨て、土地もあり、思想的にも自由な西のカリフォルニアを目指したのに違いない。二〇一九年のカリフォルニア州の推定人口は四千万人を超えている。

そのカリフォルニアからドキッとするようなニュースが二〇一九年も終わるころに流れた。全米で減りつつあるホームレスの人口比が、カリフォルニアでは飛びぬけて増えているというのだ。「夢のカリフォルニア」で歌われたロサンゼルスにあるスキッド・ローはあまりにも有名で、ブルーシートで作ったテント群が路上を埋めている。衛生状態も悪く伝染病が発生している。一部報道では腸チフス菌も発見されているという。

全米第二の都市を拠点とするロサンゼルスタイムズ紙は、ロサンゼルスには五万九千人のホームレスがいて、居住している地区はハリウッドなどにも広がっていると伝えている。雨をしのげる高速道路下には、青いテントのホームレス集落があり、新聞にはその写真が掲載されている。多くは身体障害や精神障害を持つ人たちなのだが、問題はその人たちにとどまらない。

定職を持ちながら、家を持つこともできず、家賃を払えないワーキングプアのホームレスの人たちだ。多くの車を持つホームレスの人たちは、付近住民とのトラブルから公共の駐車場を転々としている。報道されている映像を見ても、身なりはこぎれいでとてもホームレスには見えない。車内には生活必需品が山と積まれている。その姿はロサンゼルスだけではなく、北はサンフランシスコ、南はメキシコ国境の都市、サンディエゴにも広がっている。

原因ははっきりしている。家賃が高騰したため、受け取る給与では支払うことができないためだ。車社会のカリフォルニア州では、シャワーを浴びるためにホームレスシェルターに通うにも、職場に行くにも車は家よりも大事なものなのだ。

家賃が高いサンフランシスコ湾に面したベイエリアでは、リビングルームなしのベッドを置けるだけの部屋でも、日本円で二十万円をかなり超え、いいところのリビング付きとなれば、軽く四十万円になる。低賃金の人たちにはとても支払うことができない。地元テレビ局のＡＢＣ10によれば、二〇一八年には約七十万人がカリフォルニア州民であることをやめ、出ていったという。流入人口は約五十万人だった。カリフォルニアを去る理由として、家賃と税金の高さをあげている。また、保守的な考えを持つ人たちが、カリフォルニアはリベラルすぎるとして、去っていくのだという。

そのカリフォルニア州で、アメリカ合衆国から独立して「カリフォルニア共和国」を建国しようとする「夢」のような運動がある。英国がＥＵからの分離を目指した運動をブレクジットと名付けたように、カレグジット（CALEXIT）を目指すというものだ。トランプ大統領が当選したころから始まった。

この運動を受けて、西海岸の一番北にあるワシントン州のシアトルタイムズ電子版がおもしろい記事をイラスト付きで掲載した。カリフォルニア州、オレゴン州も一緒に分離独立して、カナダと一体になるという考え方がワシントン州でも出てきているという記事だ。「カリフォルニア、オレゴン、ワシントンはともに、カナダに加わるべきか？　カレグジットが西海岸に広がっている」の衝撃的な見出しで、この記事は二〇一六年十一月十五日、トランプ大統領当選の一週間後にシアトルタイムズの紙面を埋めた。三州は圧倒的多数がヒラリー・クリントンに投票していた。

ライアン・ブレセン記者は三つの州の民衆意識の同質性をあげ、気候変動、マリファナ、医療保険制度などに対する考え方でカナダとは一致できる、この際、カナダと一緒になろうと持論を展開。最後に、首都ワシントンが州になろうとしている動きが、ワシントン州という名前を盗もうとしている。「（分離したら）どんな『国』の名前にしたらいいか」と、読者に問いかけている。

カレグジットのデモの先頭にはいつも、クマのイラストをつけたカリフォルニア共和国の旗がある。白地の下に赤い線が一本。中央にクマがのっしのっしと歩いている。この旗は現在のカリフォルニア州旗でもある。アメリカの各州には必ず州旗があり、行事の折にはアメリカ合衆国の星条旗と並べて立てられている。州はステート（国）だから独自の国旗があるのは当然なのだ。

米メキシコ戦争の中で、実は二十五日間という短期間だが、カリフォルニア共和国の国旗が単独で掲げられた。つまりカリフォルニア共和国が建国された歴史がある。一八四六年のことだった。

日本ではめったに報道されないが、イギリスのＢＢＣ放送が、大統領選挙を翌年に控えた年の四月に「カレグジット」について、興味ある長文の解説記事を掲載した。見出しは「もしカリフォルニアが分離したら、どうなるか」と刺激的だ。

カリフォルニアの分離独立は合衆国憲法上許されていないし、何かドラスティックなことがない限り、可能性は少ないと述べた上で、アメリカやカナダの知識人たちの考えを引用して、南北戦争から現在、そして近未来を予測して、フリーランスのレイチェル・ナワー記者が考えを述べている。

まず分離独立（セセッション）の理由として、民主党、共和党の政策があまりに、分極化していることをあげている。この記事のコーナーが「未来」と題されていることもあり、彼女はアメリカで南北戦争のような内戦が起こる可能性を含めて、大胆な予測を展開している。

エリトリアのエチオピアからの独立、バングラデシュのパキスタンからの独立は内戦を伴ったことをあげ、平和裏に分裂した例としてチェコスロバキアの分裂や英国のＥＵからの分離をあげている。

もし、カリフォルニアが分離独立すると、ＧＤＰが英国より大きい世界五位の国＝カリフォルニア州を失うことで、アメリカ経済は一気に力を失う。そのことでアメリカドルの価値は下がり、ユーロと人民元が基軸通貨としての地位を得ていく。

一方で、大票田であるカリフォルニア州を失うことで、アメリカ合衆国に残された民主党が政権も議会も支配することはできなくなる。アメリカには右派が台頭し、同じように右派が勢力を持つハンガリーやロシアと接近していく。そうなると東海岸では、メリーランド州、ペンシルバニア州からカナダ国境のメイン州までが「合衆国」からの分離を目指す。移住が容易なカリフォルニア共和国を移民たちが目指すだけでなく、共和党に支配された「合衆国」からリベラル派が「エクソダス」（国外脱出）を目指す。外交面では世界のリベラルな国々がカリフォルニアとの関係を促進する。

テキサスなど経済的に自立可能な州は、アメリカ合衆国にとどまる経済的利益がなくなるので、同じく分離、独立。ここにアメリカ合衆国は消滅する。カリフォルニア州の分離独立は、その引き金となるとの結論で記事を終える。

実はアメリカを離れたいのはカリフォルニア州だけではない。アメリカそのものを出たいと思う若者がいるのだ。二〇一九年のギャロップの世論調査で、十八歳から三十一歳の女性の四〇パーセントがアメリカを出ていきたいと思っているという衝撃的な結果が出ている。現実的にアメリカ国外に居住するアメリカ人は推計で九百万人といわれている。推計というのは、先進国の中で、海外に居住している自国民の数を正確に把握していないのはアメリカだけだからだ。

アメリカ帝国は国の形を整える前に、二百数十年の短い歴史を終え、分裂、崩壊していくのだろうか。アメリカが最大の敵と思っている中国は、四千年の歴史の中で統一王朝ができていたのは半分ほどの長さだ。分裂していたときが貧しい時代だとは限らない。三国志の時代には、互いが競い合うようにして発展して、次の王朝への基盤を築いたこともあった。

アメリカが長い冷戦を戦ったソ連という「帝国」はすでに崩壊した。中東を第一次大戦まで支配したオスマントルコが姿を消したのは、はるか彼方の歴史の中のことではない。国として未熟なアメリカ帝国が消滅するのも、長い歴史の中では非現実的なことではない。

再び、古いアメリカンポップスの話へ戻そう。

一九七三年、日本でも有名な「カントリーロード」をジョン・デンバーが作詞・作曲して大ヒットした。彼自身はウェスト・バージニア州に行き、ブルーリッジ・マウンテンを見たわけではないのに、故郷を求めるアメリカ人の共感を呼んだのだろうか。大ヒットする。歌に歌われたウェスト・バージニアは、建国時の一三州の一つバージニアから分離して州になったところだが、工業化社会を引っ張った炭鉱と鉱山の衰退とともに、貧しい州になっていく。その歌詞に、「カントリーロードよ／私を故郷に連れていってくれ／わたしが属する、その故郷へ」というところがある。

二十一世紀が二十年経った今、脱工業化社会どころか、ＡＩとロボットがアメリカの若者たちの仕事を奪っていく。その中で、分裂と内戦の危機を内包しながら、混迷を深める超大国アメリカ。四十年以上前に歌われたこの曲は、アメリカ人の心の中にある、いまだ見えてこない自分の国のアイデンティティーへの不安をずばり表してはいないだろうか。

ママス＆パパスのメンバーのうち三人はすでに天国に召された。ジョン・デンバーは自分が操縦する軽飛行機の事故で、五十三歳でこの世を去った。彼らが自分たちの歌をどのように感じていたのかを尋ねることはもうできない。

バーテンダーAOCの夢

若い女性がバーニー・サンダース大統領予備選候補の手を握り、ふたりの手を十月の青空に向け高くかざした。老年の男性を壇上に呼び寄せ、固く抱き合う少し前まで、女性は聴衆を前に三十分にわたる演説をこなし、集まったニューヨークの市民にハスキーボイスで叫んでいた。

「バーニーが大統領になるのを私は支持します!」

その女性がニューヨークの貧困地区ブロンクスで生まれ育ち、奨学金を得てボストン大学を卒業した後、マンハッタンでバーテンダーやウェイトレスをして生活をしのいでいたのは、一年ちょっと前までのことだった。今はニューヨーク州第一四区選出のアメリカ連邦議会下院議員として、アメリカに民主社会主義を実現しようとするバーニー・サンダース上院議員の手を握り、大きくサンダースの手を持ちあげている。

著名人たちや新聞などが、選挙で特定の候補への支持表明をすることを「エンドース(endorse)」するとアメリカではいう。この日、この女性がサンダース候補の「エンドース」のために集会に参加すると聞いて、全米の新聞、テレビに通信社ばかりでなく、「タイム」や「フォーブス」など著名な雑誌社も記者を派遣していた。

サンダース氏は二週間ほど前に心臓発作を起こし、病院に運ばれ、治療を受けた。今回の選挙集会が、回復後初めての大統領選挙活動であることも取材陣が多い理由だが、なによりもすい星のごとくアメリカ政界に登場したこの女性、アレクサンドリア・オカシオ・コルテス下院議員を取材することが目的だった。ＣＮＮをはじめ、「オカシオ・コルテスがサンダース上院議員をエンドース」のタイトルでニュース映像やインタビューを放送したテレビ局は数知れない。

彼女の名前は長く、覚えにくいので多くの支持者たちは親しみを込めて、頭文字を並べたＡＯＣと呼ぶ。なぜちょっと前まで裕福な人が集まるマンハッタンでウェイトレスやバーテンダーをやっていた女性が、民主党の大統領予備選の有力候補バーニー・サンダース上院議員をエンドースすることがニュースになるのか。

大きな目、真黒な長い髪と浅黒い顔にルージュを塗った唇が光る。黙って見つめられたら、ちょっぴり怖そうな美人だが、笑うと顔がくしゃくしゃになる素敵な笑顔が人を引きつけてしまう。メディアを集めるニュース性はその魅力が生んでいるといっても、決して間違いではない。この日の集会には二万七千人の人が詰めかけていた。ＡＯＣが集めたといっても過言ではない。テレビ局の多くは、大統領予備選が一年前に始まって以来の支持者を集めた大規模な集会だと報道した。

ＡＯＣの語りかける言葉に耳を傾ける参加者が持つ「バーニー」と書かれた青や白のプラカードが時折、大きく揺れる。参加者の多くは労働者階級の若者たちで、人種も様々だ。日本では死語になった労働者階級という言葉がアメリカやイギリスの英語圏では生きた言葉として使われている。自らは資本や土地などを持たず、会社を経営することもない、いつでもクビになる可能性のある賃金労働者のことだ。

エンドースしたサンダース議員を壇上に呼び込む前に、ＡＯＣは会場を埋め尽くした参加者を見つめて、「まあ、びっくり！」と、集まってくれた参加者のあまりの多さにうれしさを素直に表した第一声を放って、人々の心をつかんだ。

「私、今は議員をやっているけど、ここまでは長い道のりだった。一年前まではマンハッタンのダウンタウンでセクハラを受けながら、ウェイトレスをやっていた。一日十二時間働いても生活できない。医療保険も持っていない。奨学金の借金はたまっている。もうだめかと思ったときに、バーニーの言葉に出会った。そして、自分が生きるに値する人間であること、医療保険、住む家、教育を受け、生きていけるための賃金を受ける権利があることがはっきりわかった。自分の信じていた人間への思いや、社会への疑問が間違っていない。そして、お金持ちでなくとも議員になれると思ったから、頑張った。私はアメリカの労働者階級の革命を起こしたい」と叫ぶと、参加者の大歓声が響いた。

それからサンダース議員の政策について、わかりやすく説明する。演説はうまくないけれど、自分の生い立ちを交えての説明はすごくわかりやすい。演説のためのメモはあるようだが、ほとんど見ることはない。当たり前だが、トランプやオバマが多用するプロンプターはない。直接、人々に話しかけている。

ＡＯＣはニューヨークの民主党下院予備選で、一〇選を果たしていた大物の現職下院議員に挑み、圧倒的な勝利を収めた。多額の選挙資金を投入した大物議員はもう一度当選すれば、下院での重要な役職に就くはずだった。民主党が強いニューヨーク州では、予備選で当選すれば、本選でも必ず勝つ。ＡＯＣの番狂わせの勝利をニューヨークのメディアは大きく取り上げた。二十八歳の連邦下院議員誕生は、アメリカの政治史上で最も若い記録だった。

彼女は壇上で、一軒一軒の有権者宅を歩いて回った自分の選挙経験を語る中で、詰めかけた聴衆に選挙運動への参加を呼び掛けた。アメリカでは戸別訪問は選挙違反ではない。選挙期間も事実上、定められていない。選挙資金を限りなく使い、テレビ広告を使う現職議員を破るには、直接有権者に会い、自分の気持ちを伝えることしかできなかった。そこで培ったオーガナイザーとしての才能はすごく、彼女とは年齢が四十七歳も違うサンダース議員にとってこれ以上のエンドースはなかった。

アメリカのメディアが保守かリベラルかを問わず、この集会を取材したのもうひとつの理由がＡＯＣの発した言葉の中にある。それは、バーニー・サンダースもアレクサンドリア・オカシオ・コルテスも、明確に自らが「民主社会主義者」であることを公言し、民主社会主義が貧富の格差が極限に近づいたアメリカ社会の現状を変えることができるとはっきりと主張しているためだった。

正確にはヨーロッパ先進諸国が実現した社会主義的要素を持った福祉政策をアメリカに実現することを目指すのだろう。サンダース議員は公的医療保険だけではなく、「先進国」とアメリカを呼ぶにはあまりにもひどい福祉の現状を変えようとしている。だから、「民主社会主義」を実現するために、大統領選挙に勝利すると言ってはばからない。勝利してアメリカ社会を企業の利潤中心の社会から、人間中心の社会に根本的にトランスフォームするのを目指すという。AOCとサンダースが手を上げて観客の声援にこたえたのはイーストリバーを挟んでマンハッタンの対岸にあるクイーンズ・ブリッジ公園だった。イーストリバーを渡ってマンハッタンと結ばれる長い大きな橋のたもとにあるが、高層ビルの立ち並ぶマンハッタンとは異次元の世界が広がる。近くには低所得者用の公共アパートが多数建てられ、ニューヨーク市最大の火力発電所の赤と白に塗り分けられた煙突が演説するサンダースやAOCの後ろに見える。

付近の多くの食料品店の入り口には、「フードスタンプ利用可」(We Accept Food Stamp and EBT)というサインボードがある。フードスタンプとは一九六〇年代にアメリカ農務省が始めた、栄養が十分にとれない貧困層を対象にした食糧援助で、当初は支払いに利用できる印紙だったが、現在はデジタル化したEBTカードになっている。タバコ、アルコール類の購入はできない。景気がよくなった二〇一八年でも、全米で約四千万人が受給している。つまり、アメリカには四千万人以上の「飢える」一歩手前の極貧層がいるということになる。

アメリカ人にとって「革命」という言葉に抵抗はない。なぜならアメリカの建国自体が、「アメリカ革命」と呼ばれているためだ。だが、ひと昔前までは、社会主義者はコミー（共産主義者）で「赤」だというのが、当たり前の時代があった。一九五〇年代のマッカーシズムという赤狩りの時代には、有名俳優チャップリンは事実上イギリスに亡命せざるを得ない状態になった。

だが、アメリカ社会に社会主義的な芽がなかったわけではない。ヨーロッパで食えなくなった移民たちは一攫千金を狙う人たちは別として、ほとんどが労働者だった。当然ながら、社会主義的な発想を持っていた。世界的に労働者の祭典として知られる「メーデー」は、実はアメリカが発祥の地だ。十数時間労働が当たり前だった一八八六年、八時間労働制を求めてシカゴの労働者たちがゼネストを行った。弾圧しようとする政府側との間で暴動に発展、四人の死者も出た。さらにヘイマーケット事件と呼ばれる労働組合弾圧事件が起こり、危機感を強めた合衆国カナダ職能労働組合連盟（後のアメリカ労働総同盟）が、一八九〇年に計画しているゼネストに合わせて、世界各国の労働組合に国際連帯デモを行うことを要請したのが始まりだ。アメリカでは、連邦政府が労働者の祭典として、九月第一月曜日をレーバーデーと名付けて三連休とした。これが定着して、現在に至っている。アメリカではメーデーの集会はあまり行われない。サンダースの選挙集会会場から、イーストリバーを挟んだブロンクスの労働者階級の家庭にＡＯＣは生まれた。生まれたブロンクスとクイーンズが下院議員選の彼女の選挙区でもある。

ＡＯＣが生まれた一九八九年に世界が大きく動いた。中国では天安門事件があり、鄧小平と抱き合ってから、北京を後にしたルーマニアのチャウシェスク大統領夫妻が十二月の民衆蜂起の中で銃殺された。東ドイツの市民が祖国を捨てて、近隣諸国へ亡命していく中で、東西ドイツを分断していたベルリンの壁が民衆の手で壊された年でもある。二年後にはアメリカとの冷戦に敗れたソ連社会主義連邦が崩壊した。アメリカに象徴される資本主義が、ソ連型社会主義を打ち負かしたのだが、アメリカ国内の矛盾は解決されなかった。もちろん、まだ子どもだったＡＯＣはそんなことは知らずに育った。

ところが勝利したはずの資本主義の牙城、アメリカで若者たちの社会主義のあこがれが、今は高まっているというギャラップの世論調査がある。ニュース専門放送局ＣＮＢＣが報じたところによると、二〇一八年には十八歳から二十九歳の若者の五一パーセントが社会主義を支持、資本主義を支持すると答えたのは四五パーセントしかない。二〇一〇年の同調査では六八パーセントが資本主義を肯定的にとらえていたので、急速に社会主義を支持する若者たちがアメリカでは増えているのは間違いない。五一パーセントいう数字は「社会主義に反対するアメリカの若者たち」という保守系の団体が、ウェブサイトの中で、五八パーセントの若者が社会主義を支持していると述べ、危機感を募らせているので大きな間違いはない数字だ。

アメリカの若者たちの頭と心の中では、社会主義へのあこがれが急速に成長している。かつて両親たちが持っていた安定した職業と持ち家というアメリカンドリームは消え去った。ごく少数の金持ちに富が偏在するなかで、アメリカの企業はどんどん衰退している。一方で、再選を目指すトランプ大統領の選挙集会には同じような年代の若者の姿が目立つ。

サンダースとＡＯＣは自分たちの政策を、大恐慌からアメリカを救うために、民主党のフランクリン・ルーズベルト大統領がとったニューディール政策になぞらえて、グリーン・ニューディールと言っている。ニューディール政策がアメリカを救ったのかどうかの歴史的審判はまだ下りていない。しかし、そのころ不況下のドイツでは社会民主党が政権獲得の一歩手前で挫折、ヒトラーが台頭していった。アメリカの大恐慌から、世界はファシズムとソ連型社会主義と、アメリカに代表される資本主義の戦いの場になっていった。

アメリカ経済はかつてなく順調という。ではなぜ、若者の間に左右を問わず不満が蔓延しているのか。ダウ平均株価が史上最高値をつけながらも、実体経済は順調ではないからに違いない。

プエルトリコの血を引くアレクサンドリア・オカシオ・コルテスの夢は実現するのか。それともその夢を阻止しようとするアメリカの若者たちが、昔ながらのアメリカンドリームの実現を、ヒトラーもどきのタレント大統領トランプに託すのか。アメリカは戦前のドイツのように、社会主義とネオナチズムの間を振り子のように揺れ動いている。

あとがき

二百五十以上の遺体が長方形の深い穴に積み重ねられ埋められていく。アメリカを襲った新型コロナウイルスの犠牲者埋葬の空撮映像だ。そこは摩天楼がそびえるニューヨーク・マンハッタンからすぐの海上にある同じニューヨーク市ブロンクスのハート島。棺には引き取り手のない遺体が納められている。棺に納められていることだけが救いだが、超大国アメリカの光景とは思えない。だが、街頭などで発見された身元不明の遺体や引き取り手のない遺体が一日平均二五人ほど埋葬されるこの島では日常的な風景なのだ。

二十世紀の世界を支配したビッグ3のひとつ、GMの本社があり栄華を誇っていたデトロイト市からは、布袋に包まれた遺体が冷凍室に野積みにされている映像が放映された。

車の流れが止まったハイウェー。人影が消えた街並み。防護服を身に着けた看護師たちが泣き崩れる映像が次々と流れる。希望をアメリカ人に与え、激務に耐える自分たちを鼓舞するヒップホップダンスを踊る若い女性看護師たちのアメリカンスマイルが、インターネットで流れるのがせめてもの救いだ。だがUSオープンの会場など、全米に次々と野戦病院が設立されていく。不安心理からか、市民はマリファナショップとガンショップに列を連ねた。

早期にロックアウトを解除したいトランプ大統領と、民主党が握る主要州との対立は深まっている。世界一の軍事力もコロナ感染の中で、力を失いつつある。

三億人を超えるアメリカ人が自宅で、コロナの脅威が去るのをひたすら待っている。アメリカは止まった。メディアが四週間に二千二百万人が失業したというニュースを流している。職を求める人が、「ロックダウンを解除しろ」と民主党が知事の州政府に星条旗を持ってデモをかける。

超大国の名を謳歌したアメリカがコロナ禍で崩壊しつつあると多数の人が言う。だが、それは今に始まったことではない。人口わずか三百万人で建国されたアメリカは、連邦政府と「州」という「国家」が連合した未成熟な「国家連合」で、未完の「世界帝国」。やわらかい地盤の上に、つぎはぎだらけで建て増しされた見栄えのいい豪邸のようなものだ。屋台骨になる柱が一本はずされただけで、あっという間に崩れていく砂上の楼閣だったのが明らかになりつつあるだけではないか。

大恐慌、第二次世界大戦、リーマンショックが同時にやってきたといわれるコロナ禍は引き金ではあったが、ここ数年のアメリカからの報道を丹念に調べていくと、コロナ禍がなくとも、現在のアメリカの危機は予想できた。

なぜアメリカのことを書こうと思ったのか。それはアメリカが歴史的にも個人的にも、日本人である私にとって「故郷」ともいえる場所だからだ。

私は一九四九年三月に連合国軍占領下の日本国北海道小樽に生まれた。幼い頃、青函連絡船に乗って津軽海峡を渡り、東京にやってきた。東京は故郷ではない。

テレビ放送が開始されてから、「アメリカ」はいつも私のそばに居た。「パパは何でも知っている」を見てアメリカの豊かな生活にあこがれ、「ローハイド」や「ララミー牧場」などの西部劇を見るたびに、広い西部の大地に行ってみたいと思った。スティーブ・マックイーンの「拳銃無宿」、サンダース軍曹が活躍する「コンバット」をみながら、銃に触ってみたいとも思った。アメリカに行くことだけが、思春期の私の夢だった。

夢が叶ったのは、一九六六年の夏。私は十七歳。ＡＦＳ（American Field Service）という組織の奨学金試験に受かり、渡航費滞在費すべて無料でアメリカ人の家族と暮らすことになった。行先はバージニア州ヨークタウン。

銃に初めてさわったのは、一緒に暮らしていた家族の買い物に連れられて行ったショッピングモールだった。ショッピングモールにはジャイアントと呼ばれるスーパーマーケットがあり、併設された数多くの店の一つにガンショップがあった。まるで、おもちゃ売り場のようで、店員に銀色に輝く拳銃を指差して、「おもちゃですか?」と聞いてみると、変な顔をして、私を見つめた。これが私にとって初めての衝撃的なアメリカとの出会いだった。

敬虔なクリスチャンの家庭の両親はふたりとも第二次世界大戦でヨーロッパに派兵されている。マムと呼んでいた母は、看護師だった。家には当然のように銃があった。車三台に小さなヨットにモーターボートがあり、私は生まれて初めて水上スキーをやった。そのころ、アメリカ経済は全盛期を迎えて、明らかにアメリカには中産階級が存在していた。

通っていた高校は公立だが、数年前から黒人と白人の学校が徐々に統合される途中だった。成績の優秀な黒人生徒が選抜されて入学していた。私は一九六七年の卒業生だが、卒業記念の写真には黒人の学友は数えるほどしかいない。ある日のこと、数少ない黒人のクラスメートが、「政治」の授業時間にベトナムの戦場にいた兄を呼んで話をさせた。彼の目が異様に鋭かったのを今でも思い出す。

ベトナム戦争は楽しいはずの生活に影を投げかけていた。一番上の兄は、徴兵された。平穏な自分の生活との落差に悩んだ。高校にはラングレー空軍基地から通う生徒もいた。爆撃任務を終え、休暇で一時帰国した友達の父親に会ったこともある。

帰国してからはアメリカのことを考えないようにしていた。だが、大学を卒業して、共同通信那覇支局に赴任すると、アメリカは否応なく迫ってきた。米軍基地を取材していく中で、米軍の広報担当者との接触がふえたのだ。編集委員時代には、厚木から軍用機に乗って、米豪軍事演習を取材したこともある。以後、何度もアメリカを取材した。

退社してオバマ大統領誕生を長期取材したころから、「もうアメリカから逃げられない」、自分がアメリカをどう思っているのか書き残そうと本書を執筆した。

最後に、常識外れのアメリカ像を描いた本の出版にご尽力いただいた菊地泰博社長ら、現代書館のみなさまに感謝申し上げます。

菅谷洋司

二〇二〇年四月二十八日

■著者紹介

菅谷洋司（すがや・ようじ）

一九四九年（昭和二十四年）連合国軍占領下の日本国小樽生まれ。

早稲田大学高等学院在学中、米国バージニア州ヨークタウンにAFS奨学金で一年間留学。

早稲田大学政経学部入学、七二年卒業。共同通信写真部に入社。

本社、那覇支局、名古屋支社などで報道カメラマン。八八年―九一年、北京支局特派員。天安門事件、戒厳令下のチベット・ラサ、モンゴル民主化、独裁下のアルバニア、北朝鮮など取材。

本社復帰後、自衛隊初の海外PKOをカンボジアで長期に現地取材。崩壊したソ連、フセイン独裁下のイラク、アパルトヘイト撤廃後の初の南アフリカ共和国選挙など世界六十カ国余りで取材。

編集委員時代に「生の時・死の時」、「メロディーとともに」など通年企画を九年間担当。動物連載独自企画「人間たちと生きて」を最後に退社。

フリージャーナリスト時代に初の黒人大統領誕生のアメリカを一年間、現地取材。カメラをペンに置き換えて、「育ジージがやってくる」、トランプとヒラリー・クリントンが大統領選挙を闘った二〇一六年アメリカでの現地取材をもとに、「ゴハンと叫ぶネコ」（ミステリー小説）など出版、現在に至る。

連絡先　sugayadj@gmail.com

「偉大《いだい》なる後進国《こうしんこく》」アメリカ

二〇二〇年五月二十五日　第一版第一刷発行

著　者　菅谷洋司
発行者　菊地泰博
発行所　株式会社 現代書館
東京都千代田区飯田橋三―二―五
郵便番号　102-0072
電　話　03（3221）1321
ＦＡＸ　03（3262）5906
振　替　00120-3-83725
組　版　具羅夢
印刷所　平河工業社（本文）
東光印刷所（カバー）
製本所　鶴亀製本
装　幀　大森裕二

 ISBN978-4-7684-5879-2
定価はカバーに表示してあります。乱丁・落丁本はおとりかえいたします。
http://www.gendaishokan.co.jp/　校正協力・高梨英一

活字で利用できない方のための
テキストデータ請求券
『「偉大なる後進国」アメリカ』